Pingpong Neu 2

Lehrbuch

Dein Deutschbuch

von Gabriele Kopp
und Konstanze Frölich

Joseph
Petrow
7B

~~Weber~~
~~Robertson~~
~~8C~~

~~Jamie 11B~~
~~Sterling~~

Max Hueber Verlag

Wir danken Manuela Georgiakaki für ihre Mitarbeit.

9. 8. | Die letzten Ziffern
2009 08 07 06 | bezeichnen Zahl und Jahr des Druckes.
Alle Drucke dieser Auflage können, da unverändert,
nebeneinander benutzt werden.
1. Auflage

Illustrationen: Frauke Fährmann, Pöcking
Titelfoto: Gerd Pfeiffer, München
Druck und Bindung: Stürtz, Würzburg
Printed in Germany
ISBN 3-19-001655-0

Inhalt

Themenkreis In der Freizeit

Lektion 1
Sport 9
A Welcher Sport ist das? 10
B Vergleiche 12
C Wie findest du das? 16
Na so was! 18
Lesen 18
Lernwortschatz 19
Grammatik 20

Fragepronomen welche(r/s) – Steigerung des Adjektivs – Antwort mit Ja/Nein/Doch

Lektion 2
Wie geht´s? 21
A Treibe Sport, und du bleibst gesund!? 22
B Wo tut´s denn weh? 24
Na so was! 27
Lesen 28
Lernwortschatz 29
Grammatik 30

Modalverb *können* – Possessivartikel 3. Person Singular/Plural

Lektion 3
Musik gestern und heute 31
A Welche Musik magst du? 32
B Junge Musiker 38
Na so was! 40
Lesen 41
Lernwortschatz 41
Grammatik 42

Perfekt mit *haben* und *sein* – Perfekt regelmäßiger und unregelmäßiger Verben – Präteritum von *sein*

Lektion 4
Wir machen Musik 43
A Musik als Hobby 44
B Ein Instrument spielen 47
Na so was! 50
Lesen 51
Lernwortschatz 51
Grammatik 52

Indefinit- und Possessivpronomen – Possessivartikel – weil-Sätze – Modalverb *dürfen*

Lesen

Texte hören und verstehen

Texte hören, lesen und sprechen

Schreiben

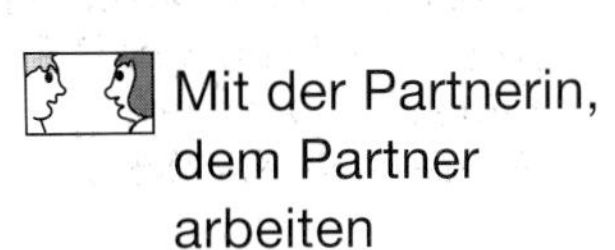
Mit der Partnerin, dem Partner arbeiten

Themenkreis Mein Alltag zu Hause

Lektion 5
Drei Freunde 55
A So sind wir! 56
B Geschmacksache 60
Na so was! 63
Lesen 63
Lernwortschatz 64
Grammatik 64

Modalverben *wollen/sollen* –
Personalpronomen im Dativ Singular

Lektion 6
Bei uns zu Hause 65
A Wohnen 66
B Familienfeste 71
Na so was! 73
Lesen 73
Lernwortschatz 74
Grammatik 74

Präpositionen mit Dativ – Satz mit Dativ- und Akkusativobjekt

Lektion 7
Fernsehen – gern sehen? 75
A Fernsehen – Vergnügen oder Sucht? 76
B Fernsehprogramm 80
Na so was! 84
Lesen 84
Lernwortschatz 86
Grammatik 86

reflexive Verben – Verben mit Präposition

Lektion 8
Mode – Mode – Mode 87
A Kleidung 88
B Mode 91
Na so was! 94
Lesen 95
Lernwortschatz 96
Grammatik 96

Adjektive im Nominativ, Dativ und Akkusativ mit dem bestimmten Artikel

Lektion 9
Meinungen und Marotten 97
A Meinung 98
B Marotten 104
Na so was! 106
Lesen 106
Lernwortschatz 107
Grammatik 108

Adjektive im Nominativ, Akkusativ und Dativ mit bestimmtem und unbestimmtem Artikel –
Personalpronomen im Akkusativ

Themenkreis Ferien und Freizeit

Lektion 10
Reisen 111
A Reisevorbereitungen 112
B Am Bahnhof 117
C Im Zugabteil 118
Na so was! 121
Lesen 122
Lernwortschatz 123
Grammatik 123

Präpositionen *mit/ohne* – Nebensätze mit *dass/weil* – Genitiv – Personalpronomen im Dativ

Lektion 11
Unterwegs 125
A Wir fahren weg! 126
B Andere Länder 131
Na so was! 132
Lesen 133
Lernwortschatz 134
Grammatik 134

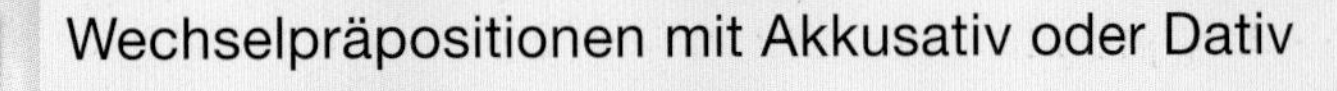
Wechselpräpositionen mit Akkusativ oder Dativ

Lektion 12
Berlin ist eine Reise wert 135
A Vorbereitung einer Klassenfahrt 136
B In Berlin 144
C Wieder zu Hause 148
Na so was! 150
Lesen 151
Lernwortschatz 151
Grammatik 152

indirekte Frage – regelmäßige und unregelmäßige Verben im Präteritum – lokale und temporale Präpositionen mit Dativ

Alphabetische Wortliste 153

Themenkreis
In der Freizeit

Das lernst du:

- etwas vergleichen
- etwas über Sportarten
- über das Befinden sprechen
- die Körperteile
- das Aussehen von Personen beschreiben
- eine Vorliebe ausdrücken
- etwas über Musik
- die wichtigsten Musikinstrumente
- nach dem Grund fragen und etwas begründen
- eine Erlaubnis erfragen
- nach dem Preis fragen und den Preis nennen
- über Vergangenes erzählen

Sport

Klettern

Fußball

Tennis

1

Leichtathletik
(800-m-Lauf)

Snowboarden

Eislaufen

Windsurfen

Drachenfliegen

Reiten

Eishockey

Schifahren

Schwimmen

 1 1

Welche Sportarten sind das?
Hör zu.

Nummer 1 ist …

Basketball

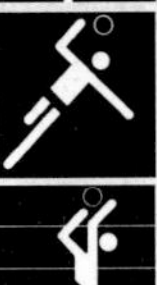
Handball

Volleyball

Fechten

Turnen

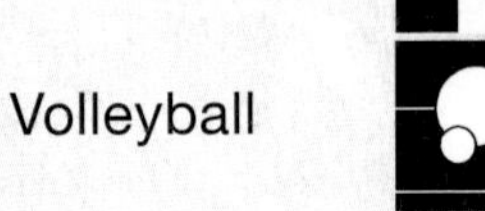
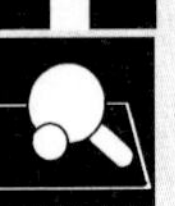
Tischtennis

Rudern

Segeln

Wasserball

A Welcher Sport ist das?

1. Wie finden die Leute den Sport?

1 2

Hör zu.

Karin

Eva

Jürgen

Martina

Thomas

Hör noch einmal zu.
Mach deine Notizen nach diesem Schema:

Name	Alter	Sport	Wie findet er/sie den Sport?
?	?	?	?
?	?	?	?
?	?	?	?

Ich mache gern Sport.

2. Wie schade!

Lies die Aussagen. Was passt?

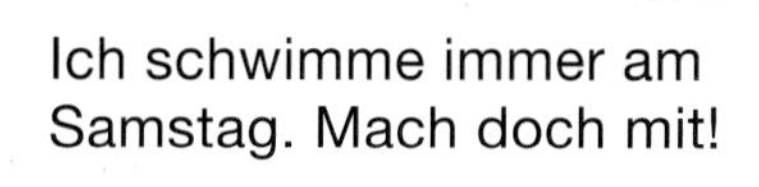

Ich schwimme immer am Samstag. Mach doch mit!

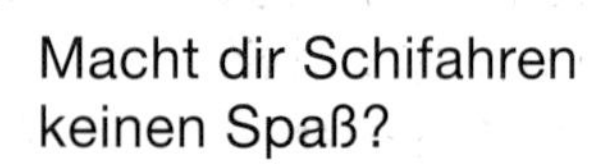

Macht dir Schifahren keinen Spaß?

Ich gehe tanzen. Warum kommst du nicht mit?

Ich reite gern Dressur. Warum macht dir das keinen Spaß?

Das ist mir zu langsam. Ich reite lieber schnell.

meine Schwester Rebecca

Nein, das ist mir viel zu schnell.

meine Freundin Julia

Das ist mir zu langweilig.

mein Freund Tim

Nein, das ist mir zu anstrengend.

mein Bruder Lukas

Immer muss ich alles allein machen. Schade!
Dressur reiten ist meiner Schwester zu ... Schifahren ist ...

3. Wer macht was?

Welcher Junge macht Leichtathletik? – Nummer ... 4
Welches Mädchen fährt Schi? – Nummer ... 7
Welche Sportart ist Nummer 3? – ... Tennis

Macht weiter.

Grammatik

der	Welcher Sport ist das?	Welchen Sport magst du?	den
das	Welches Spiel ist das?	Welches Spiel magst du?	das
die	Welche Musik ist das?	Welche Musik magst du?	die
die	Welche Sportarten sind das?	Welche Sportarten magst du?	die

4. Welchen Sport magst du?

3

▲ Welchen Sport magst du am liebsten?
● Fußball.
▲ Spielst du oft?
● Ich spiele gar nicht.
▲ Wie bitte? Ich denke, du spielst gern Fußball.
● Nein, ich mag Fußball nur im Fernsehen.

Macht weitere Dialoge mit:
Schifahren, Tennis spielen ...

Frag deinen Partner:

Welchen Sport Welchen Sänger Welches Hobby Welches Fach Welche Musik Welche Rockgruppe	magst du am liebsten?

B Vergleiche

1. Wer gewinnt?

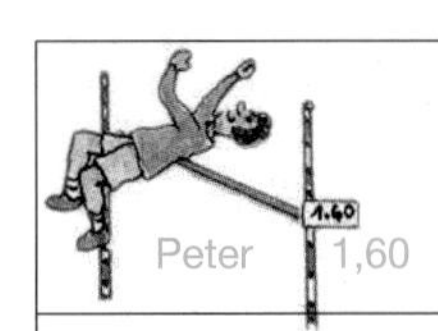

Peter springt einen Meter sechzig hoch.
Klaus springt ___ hoch.
Klaus springt höher als Peter.

Jürgen und Albert spielen Fußball. Jürgen schießt ___ Tor. Er spielt gut.
Albert schießt ___ Tore. Er spielt besser als Jürgen.
Albert gewinnt.

Maria läuft 100 Meter in ___ Sekunden.
Anne läuft 100 Meter in ___ Sekunden.
Anne läuft schneller als Maria.

Robert und Christa essen um die Wette.

Robert isst ___ Brötchen.

Christa isst nur ___ Brötchen.

Robert isst mehr als Christa. Robert gewinnt.

2. Quiz

a) Welcher olympische Sport ist am ältesten?

A Diskus 

B Tennis  

C Segeln 

b) Welches Tier läuft am schnellsten?

A der Hund 

B das Pferd 

C der Gepard 

c) Welcher Berg ist am höchsten?

A das Nebelhorn

B die Zugspitze 

C der Brocken

d) Welches Meer ist am größten?

A das Mittelmeer

B der Atlantik

C die Nordsee

e) Welchen Sport machen die Deutschen am liebsten?

A Fußball 

B Tennis 

C Golf 

f) Was trinken die Deutschen am meisten?

A Tee 

B Kaffee 

C Bier  

Grammatik

klein	klein er	am klein sten
schnell	schnell er	am schnell sten
schlecht	schlecht er	am schlecht esten
alt	ä lt er	am ä lt esten
groß	gr ö ß er	am gr ö ß ten
stark	st ä rk er	am st ä rk sten
hoch	h öher	am h ö ch sten
gut	besser	am besten
viel	mehr	am meisten
gern	lieber	am liebsten ⚠

Tipp
Finde deine Regel zur Grammatik selbst. Dann kannst du sie besser behalten.

Peter spielt gut Tennis.
Klaus spielt besser Tennis als Peter.
Thomas spielt so gut Tennis wie Peter.
Michael spielt am besten Tennis.

1 4

3. Wer spielt besser?

- ● Kommt ihr heute Abend zu Andreas?
- ▲ Was, heute Abend? Nein, heute ist doch das Fußballspiel England gegen Spanien.
- ● Ach ja, richtig! Ich wette, Spanien gewinnt. Die spielen einfach besser und sind auch viel schneller.
- ■ Das Spiel heute Abend ist doch uninteressant. Argentinien gewinnt sowieso die Weltmeisterschaft. Die spielen am besten.

Und dann? Macht weiter.

Macht weitere Dialoge.

Eishockeyspiel
Deutschland – Kanada – Schweden

Volleyballspiel
Polen – Frankreich – Italien

Fußballspiel
Bayern München – ... *(Europapokal)*

4. Wetten wir?

▲ Ich wette, Klaus ist größer als Peter!

● Nein, das glaube ich nicht.
Klaus ist vielleicht genauso groß
wie Peter, aber nicht größer.

✦ Ja, das glaube ich auch.
Aber Thomas ist am größten.

■ Ach, Klaus ist doch bestimmt
kleiner als Peter.

Wettet in der Klasse:
Wer ist größer, ... oder ...?
Welche Stadt ist größer, ... oder ...?
Welcher Lehrer ist älter, ... oder ...?
Wer ist stärker, ... oder ...?
Wer hat mehr Sommersprossen auf der Nase, ... oder ...?

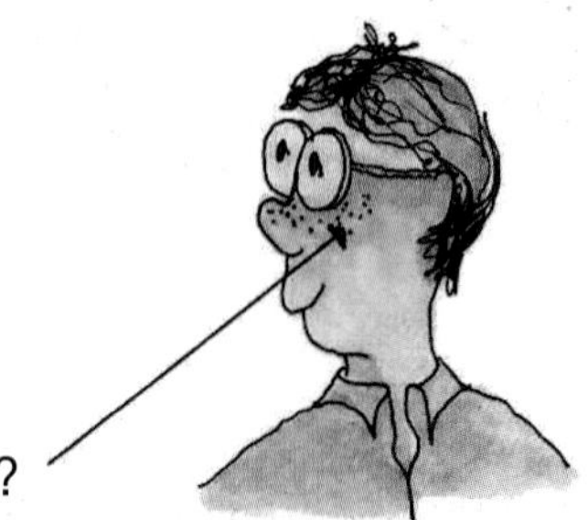

5. Joachim ist Leistungssportler

Hör zu. Was ist richtig? Was ist falsch?

a) Joachim ist Fußballspieler.
b) Er hat wenig Freizeit.
c) Seine Hausaufgaben macht er am Wochenende.
d) Er trainiert eine Stunde am Tag.
e) Joachims Mannschaft fährt zu Wettkämpfen in viele Länder.
f) Er möchte später Vollprofi werden.
g) Die Konkurrenz ist groß.
h) Die Mädchen mögen Joachim nicht.

a) Warum macht Joachim das alles?
b) Wie ist die Freizeit von Joachim?
c) Bist du auch Leistungssportler?
d) Wie findest du Leistungssport?
Mach Notizen pro und contra.

contra
wenig Freizeit

Rafting

6. (Noch) kein Massensport

Sport im Wasser und auf dem Wasser ist sehr beliebt. Viele Leute schwimmen gern oder sie rudern oder segeln. Aber manche Leute möchten mehr Abenteuer auf dem Wasser. Sie machen „Rafting". Das ist ein Sport auf wilden Gebirgsflüssen. Ein Team von ungefähr sechs Leuten sitzt in einem kleinen Boot. Sie fahren über Steine und Wasserfälle den Fluss hinunter. Manchmal müssen sie das Boot tragen, manchmal müssen sie durch enge Kurven fahren. Alle arbeiten zusammen und alle werden ganz nass. Eine Raftingtour kann einen halben Tag oder auch mehrere Tage dauern. Der Sport ist anstrengend und gefährlich.

Wer möchte nicht mal fliegen wie ein Vogel. Die Gleitschirmflieger („Paraglider") schaffen das. Man steigt auf einen Berg und bereitet den Gleitschirm vor. Man nimmt Anlauf und lässt sich von der Luft tragen. Es ist sicher toll, so in der Luft zu schweben. Es ist schön, aber auch gefährlich. Das Paragliden muss man in einem Kurs lernen. Am Anfang fliegen Schüler und Lehrer zusammen unter einem Gleitschirm. Nach der Prüfung kann man allein fliegen.

Paraglider

Free-Climbing ist mehr als Klettern. Es ist Klettern an senkrechten Felswänden. Es gibt fast keinen Platz für die Füße und die Hände. Man muss sehr viel Kraft haben. Und man muss sehr konzentriert sein. Manche Leute klettern an Wänden extra für Free-Climber. Das kostet natürlich etwas.

Welcher Sport ist deiner Meinung nach
- am gefährlichsten?
- am teuersten?
- am interessantesten?
- am langweiligsten?

Und warum?
Sprich so: Meiner Meinung nach ist …

1c

C Wie findest du das?

1. Ich finde ...

Ich finde Tennis / Fußball / Schwimmen ...		
(sehr) gut. interessant. spannend. + toll. super. prima.	~ nicht schlecht. ganz gut. nicht so toll. so lala.	nicht gut (schlecht). uninteressant. langweilig. doof. blöd. unmöglich. entsetzlich. scheußlich. –
Das ist doch ...		
Klasse. Spitze.		Unsinn. Quatsch. Mist. das Letzte.

● Ich finde Fußball –.
▲ Was? Also, ich finde Fußball +.

● Sport ist –.
▲ Was sagst du da? Das ist doch –!
Ich finde Sport +.

● Spielen wir Tischtennis?
▲ Ach nein, ich finde Tischtennis –.
Gehen wir lieber schwimmen.
● Auja!

● Wie findest du Leichtathletik?
▲ ~.

Macht weitere Dialoge.
Frag deinen Partner: Wie findest du ...?

2. Was kommt im Fernsehen?

1 7

▲ He, jetzt kommt die Olympiade im Fernsehen.
● Ich weiß, die läuft ja schon. Ich schaue gerade Leichtathletik an.
▲ Was? Leichtathletik? Kommt jetzt nicht Rudern?
● Doch, im zweiten Programm. Aber ich mag Leichtathletik lieber.

▲ Also, ich nicht.
Ich möchte jetzt
Rudern sehen.
Ich schalte mal um.

● Du bist gemein.

▲ Na gut. Dann schauen wir
jetzt Leichtathletik an.
Rudern kommt später im
ersten Programm noch
einmal.

✦ Immer Sport.
Im dritten Programm
kommt jetzt eine
Kindersendung.

Macht weitere Dialoge.

Fußball/Segeln	Volleyball/Schwimmen
Tennis/Reiten	Handball/Turnen
	…

● Kommt jetzt kein Western?
▲ Doch.
● Warum schaust du ihn dann nicht an?
▲ Ach, ich finde Tierfilme interessanter.
● So ein Quatsch!

Macht weitere Dialoge.

der	das	die
Liebesfilm(e)	Fernsehspiel(e)	Musiksendung(en)
Abenteuerfilm	Quiz (Quizsendungen)	Jugendsendung
Zeichentrickfilm	Rockkonzert(e)	Sportreportage(n)
Sciencefictionfilm		Komödie(n)
Krimi(s)		Nachrichten

Grammatik

Frage	*positiv*	*negativ*
	Spielst du gern Tennis? Möchtest du einen Apfel? Isst du etwas? Siehst du immer fern?	Spielst du nicht gern Tennis? Möchtest du keinen Apfel? Isst du nichts? Siehst du nie fern?
Antwort	Ja. / Nein.	Doch. / Nein.

3. Fragen und Antworten

Frag deinen Partner: Er antwortet:

Spielst du gern Fußball? Siehst du gern Liebesfilme? Magst du Krimis? Hast du einen Cassettenrecorder? Machst du immer Hausaufgaben?	Ja. Nein.
Spielst du nicht gern Fußball? Siehst du nicht gern Liebesfilme? Magst du keine Krimis? Hast du keinen Cassettenrecorder? Machst du nie Hausaufgaben?	Doch. Nein.

Bildet weitere Fragen.

Na so was!

Das Lied vom Sport-Supermann

1 8

Ich kann Handball spielen, Fußball spielen und natürlich Volleyball.
Und beim Basketball, das ist doch klar, gewinne ich auf jeden Fall.
Refrain: Denn ich bin Supermann, Superfrau, Supermann, oh ja!
Superfrau, Supermann, Superfrau ist da!

Ich kann segeln und auch schwimmen, ja schwimmen wie ein Fisch.
Ich kann Tennis spielen auf dem Platz und natürlich auf dem Tisch.
Refrain: Denn ich bin Supermann, Superfrau, Supermann, oh ja!
Superfrau, Supermann, Superfrau ist da!

Ich spring' höher als der Weltrekord und natürlich auch sehr weit.
Ich lauf' hundert Meter, tausend Meter, jedesmal in Spitzenzeit!
Refrain: Denn ich bin …

Und im Winter dann, da geht's erst los, da bin ich dann das große Ass.
Denn das Eishockey und Schlittenfahren macht wirklich sehr viel Spaß.
Refrain: Denn ich bin …

Und das Schifahr'n, Mann, das ist doch klar, das kann ich natürlich auch.
Ich fahr' runter wie der Blitz und falle niemals auf den Bauch!
Refrain: Denn ich bin …

Es gibt keinen Sport auf dieser Welt, den ich nicht super kann.
Und das ist kein Wunder, ich bin doch der Super-Supermann.
Refrain: Denn ich bin …

Lesen

Wer is(s)t am schnellsten?

Andreas, Paul und Christian sind Brüder. Christian ist noch klein. Heute ist Olympiade. Paul sitzt vor dem Fernseher. Er mag Sport – aber nur im Fernsehen. In der Schule hat er in Sport eine Vier. Laufen, Springen, Fußball spielen – das mag er nicht gern. Er sieht es nur gern. Am liebsten sieht er Leichtathletik. Leichtathletik läuft im ersten Programm, Rudern im zweiten. Natürlich sieht Paul das erste Programm.
Andreas ist ein guter Sportler. Er hat in Sport eine Eins. Er schwimmt. Und er rudert in einem Ruderverein. Jetzt will er Rudern sehen. Er holt sich ein Glas Milch und geht zum Fernseher. Aber da sitzt Paul, isst Chips und schaut Leichtathletik an.
Andreas: „Was machst du da?"
Paul: „Ich esse Chips" – er isst – „und" – kruntsch, kruntsch – „sehe fern."
Andreas: „Das sehe ich."
Paul: „Warum fragst du dann?"
Andreas: „Weil du Leichtathletik siehst! Ich möchte lieber Rudern sehen."
Paul: „Da kann man nichts machen. Du bist zu spät, tut mir Leid."
Jetzt kommt Christian: Er möchte die

Lesen

„Sesamstraße" sehen. Die läuft im dritten Programm.
Christian: „Das ist nicht die Sesamstraße, oder?"
30 ***Paul:*** „Nein, das ist die Olympiade. Das ist doch interessant."
Christian: „Nein. Ich möchte lieber Ernie und Bert sehen. Und am liebsten möchte ich das Krümelmonster sehen."
35 ***Andreas:*** „Du kannst aber nicht das Krümelmonster sehen. Und ich möchte jetzt Rudern sehen."
Christian: „Was ist mit Ernie und Bert?"
Andreas: „Die schlafen. Und du gleich auch –
40 oder du bist still."
Christian sagt nichts mehr.
Andreas: „So, schauen wir jetzt bitte Rudern?"
Paul: „Nein."
45 ***Andreas:*** „Du läufst nicht, du springst nicht, du machst gar keinen Sport! Warum schaust du ihn dir dann an?"
Paul: „Ich mache keinen Sport, aber ich interessiere mich für Sport."
Andreas: „Ich rudere! Ich schwimme! Und 50
du? Du isst Chips!
Paul: „Ich wette, ich bin schneller als du!"
Andreas: „Was??"
Paul: „Wetten, ich esse zwei Tüten Chips schneller als du? Der Sieger bestimmt das 55
Fernsehprogramm!"
Andreas: „Na gut!"
Andreas und Paul holen vier Tüten Chips. Fertig – los! Sie essen und essen. Wer gewinnt wohl? 60
Und was macht Christian? Der schaltet auf das dritte Programm um: Er sieht „Sesamstraße", „Pinocchio", „Sandmännchen" ... Er sieht den ganzen Abend fern. Wollen Paul und Andreas nicht mehr Olympiade sehen? 65
Nein. Warum? Paul und Andreas ist es schlecht. Zu viele Chips!

Wer tut was?

Andreas? Oder Christian? Oder Paul?

1. ... sieht am liebsten Leichtathletik.
2. ... mag Sport nur im Fernsehen.
3. ... möchte die „Sesamstraße" sehen.
4. ... isst Chips.
5. ... möchte Rudern im Fernsehen sehen.
6. ... hat in Sport eine Vier.
7. ... sieht den ganzen Abend fern.
8. ... holt sich ein Glas Milch.
9. ... soll schlafen gehen.
10. ... hat in Sport eine Eins.
11. ... schwimmt und rudert gern.
12. ... sagt nichts mehr.

Lernwortschatz

Wortschatz

Sportarten:

Tanzen
Reiten
Schifahren
Schwimmen
Leichtathletik
Fußball
Eishockey
Volleyball
Tischtennis
Rudern
Handball
Basketball
Segeln
Tennis

Grammatik

Grammatik

1. Pronomen

Fragepronomen

Nominativ		Akkusativ	
der das die	Welcher Sport ...? Welches Hobby ...? Welche Musik ...?	Welchen Sport ...? Welches Hobby ...? Welche Musik ...?	den das die
die	Welche Sportarten ...?	Welche Sportarten ...?	die

2. Adjektiv

Steigerung

klein schnell schlecht	kleiner schneller schlechter	am kleinsten am schnellsten am schlechtesten
alt groß stark hoch	älter größer stärker höher	am ältesten am größten am stärksten am höchsten
gut viel gern	besser mehr lieber	am besten am meisten am liebsten ⚠

Klaus springt höher als Peter.
Jochen springt so hoch wie Peter.
Michael springt am höchsten.

3. Satz

Frage	*positiv*	*Antwort*
	Spielst du gern Tennis? Magst du einen Apfel? Isst du etwas? Siehst du immer fern?	Ja. Nein.

Frage	*negativ*	*Antwort*
	Spielst du nicht gern Tennis? Magst du keinen Apfel? Isst du nichts? Siehst du nie fern?	Doch. Nein.

Wie geht's?

2

A Mein Zahn tut so weh.
Ich kann gar nichts essen.

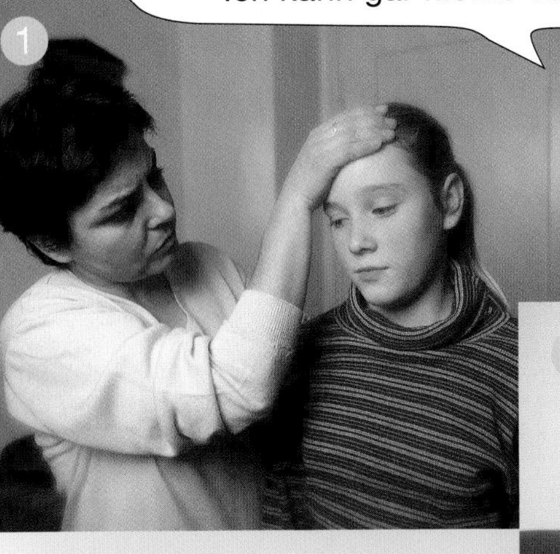

E Wer gibt mir ein Autogramm?

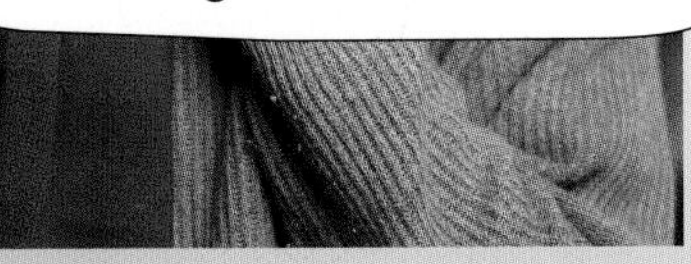

B Ich kann heute nicht sprechen.
Ich habe solche Halsschmerzen!

F Ich glaube, du hast Fieber.
Ich hole mal das Thermometer.

D Morgen schreiben wir eine Klassenarbeit. Aber ich kann ja nicht schreiben. So ein Glück!

C Es ist so langweilig. Ich kann nicht Fahrrad fahren, ich kann nicht Fußball spielen. Ich glaube, ich sehe jetzt fern.

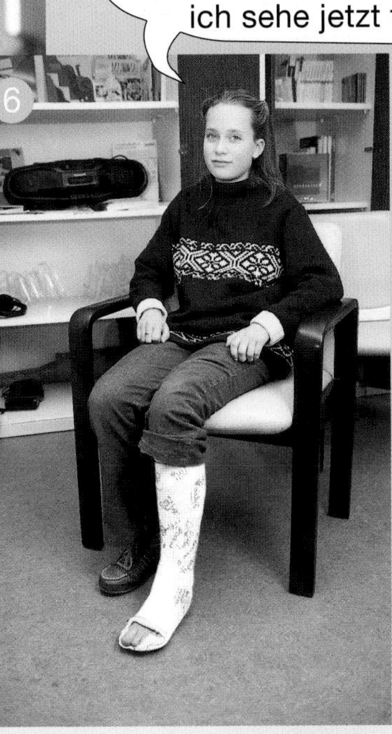

Was passt?

1	2	3	4	5	6
?	?	?	?	?	?

2A

A Treibe Sport, und du bleibst gesund!?

1 9

1. Ich kann nicht Fußball spielen

● Kommst du mit? Wir gehen Fußball spielen.
▲ Tut mir Leid. Ich kann nicht Fußball spielen.

● Was, du kannst nicht Fußball spielen? Das gibt's doch nicht!
▲ Doch, ich mache eben nicht so gern Sport.
● Na so was!

● Ach, komm doch mit! Es ist gar nicht so schwer.
▲ Na gut.

● Was, du kannst nicht Fußball spielen?
▲ Doch, aber mein Bein tut so weh!

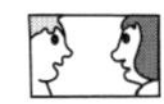

Macht weitere Dialoge mit: Handball, Tischtennis, Tennis …

Grammatik

ich	kann
du	kannst
er/es/sie	kann
wir	können
ihr	könnt
sie/Sie	können

Hier: können = fähig/gut sein

Sie kann Fußball spielen.

Sie kann kein Deutsch.

Hier: nicht können = es geht (jetzt) nicht

Er kann nicht laufen.

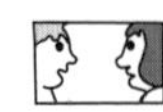

2. Findest du Armin schön?

die Haare (Plural)
der Kopf
das Ohr
das Auge
das Gesicht
die Nase
der Hals
der Mund
der Finger
die Zähne (Plural)
die Schulter
der Arm
der Rücken
die Brust
der Bauch
die Hand
das Bein
das Knie
der Fuß

Armin Weißenegger

lang/kurz
groß/klein
breit/schmal
hart/weich
dick/dünn
dunkel/hell
muskulös
attraktiv
romantisch
interessant
blond (Haare)

Tipp
Fasse Vokabeln unter einem Thema zusammen. Dann kannst du sie besser behalten. Beispiel: die Körperteile

Tipp
Arbeite mit einem Partner zusammen: Hört euch gegenseitig zu und verbessert euch.

a) Sein Bauch ist so/zu ...

Findest du Armin schön?
Ja? Warum?

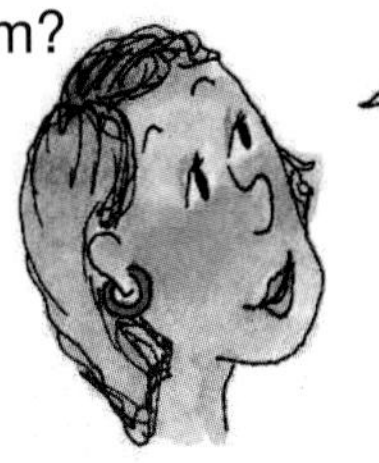

Mann, ist der toll!

Sein Bauch ist so muskulös.
Seine Augen sind so romantisch.
...

Nein?
Warum nicht?

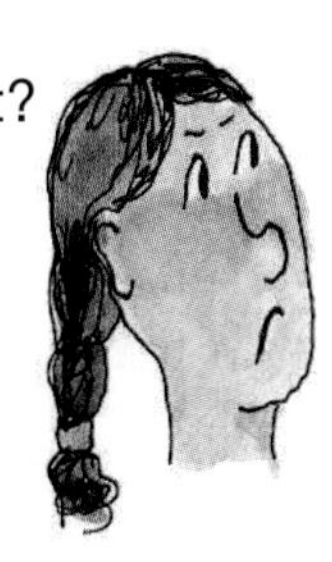

Sein Kopf ist zu dick.
Seine Nase ist zu breit.
...

b) Ich finde seinen Bauch so/zu ...

Macht weitere Sätze:
Ich finde seinen Bauch so muskulös ...
Ich finde seinen Kopf zu dick ...

c) Und Arminia: Ihre Beine ...
Ihr Gesicht ...

Grammatik

er, zum Beispiel Armin

	der Arm	das Bein	die Hand	die Augen
Nominativ	sein Arm	sein Bein	seine Hand	seine Augen
Akkusativ	seinen Arm	sein Bein	seine Hand	seine Augen

sie, zum Beispiel Arminia

	der Arm	das Bein	die Hand	die Augen
Nominativ	ihr Arm	ihr Bein	ihre Hand	ihre Augen
Akkusativ	ihren Arm	ihr Bein	ihre Hand	ihre Augen

sie (3. Person Plural) / Sie (Höflichkeitsform)

	der Vater	das Kind	die Mutter	die Eltern
Nominativ	ihr/Ihr Vater	ihr/Ihr Kind	ihre/Ihre Mutter	ihre/Ihre Eltern
Akkusativ	ihren/Ihren Vater	ihr/Ihr Kind	ihre/Ihre Mutter	ihre/Ihre Eltern

3. Sport macht schön!

1	2	3	4	5

A	S	H	N	E
(a) Kopf ist klein. Sie trägt (b) Haare lang.	(c) Gesicht ist schmal, (d) Nase sehr klein.	(e) Kopf ist ziemlich groß. (f) Beine sind zu kurz.	(g) Schultern sind breit. Sie findet (h) Hals zu dick.	Er hat (i) Bauch besonders trainiert. Auch (j) Brust ist sehr muskulös.
N 	Ö	M	C	ST

a) Was passt?

Lösungswort: WER IST

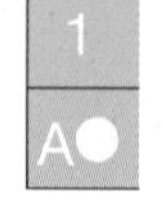
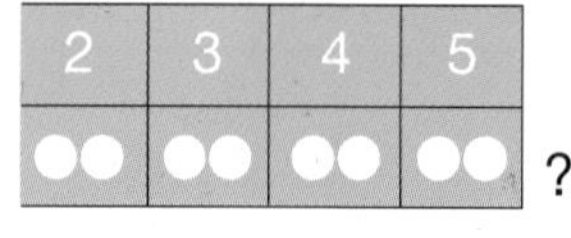

1	2	3	4	5
A●	●●	●●	●●	●●

?

b) Setz ein:

sein	1	ihr	4
seinen	2	ihren	5
seine	3	ihre	6

Rechenrätsel: a + b + c + d - e - f - g + h + i + j = 20

B *Wo tut's denn weh?*

1. Freitagabend

1 10

- ● Klaus tanzt super!
- ▲ Stimmt!
- ■ Au!
- ● Klaus, was ist denn los?
- ▲ Was hat er denn?
- ● Ich weiß nicht.
- ■ Oh, mein Bein!
- ● Hast du Schmerzen?
- ■ Ja, mein Bein tut so weh.
- ● Komm, wir rufen den Arzt an.

Macht weitere Dialoge.

●	■					
boxen	der	Arm	das	Auge	die	Nase
Fußball spielen		Kopf		Ohr		Schulter
Volleyball spielen						

2. Später

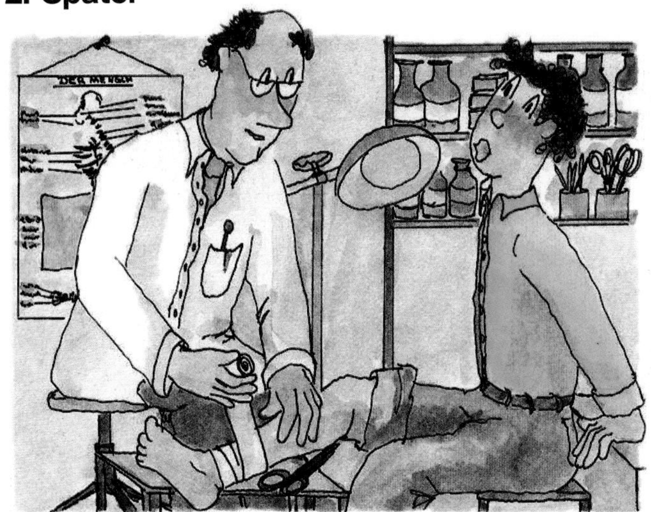

● Na, Klaus, erzähl mal! Wo tut's denn weh?
■ Hier, mein Bein ... und mir ist ganz schlecht.
● Na, zeig mal her.
■ Au, au!
● Du hast Glück, das Bein ist nicht gebrochen, es ist nur verstaucht. Ich verschreibe dir jetzt eine Salbe, dann heilt es schneller. Aber du kannst jetzt zwei Wochen keinen Sport treiben.
■ Oh nein, nächste Woche sind die Rock'n'Roll-Meisterschaften.
● Tut mir Leid, aber da kannst du nicht mitmachen.

3. Beim Arzt

● Tag, Herr Doktor.
▲ Na, was ist denn los?
● Mein Bauch tut so weh. Ach, ich habe ja solche Bauchschmerzen.

Macht weitere Dialoge.

Kopf	-schmerzen
Ohren	
Bauch	
Hals	
Zahn	
Rücken	

4. Wie geht es dir?

M ■ Elisa Nussbaum.
E ■ Wie bitte? Was tut dir weh?
I ■ O je, ich glaube, du bist krank.
A ■ Kopfschmerzen? Hast du auch Fieber?
T ■ Hallo Katharina. Wie geht es dir denn, mein Kind?

A ● Hallo, Oma.
H ● Schlecht, Oma, schlecht. Mein Kopf tut so weh.
M ● Ich habe Kopfschmerzen.
T ● Ich weiß nicht. Aber mir ist kalt und heiß.
K ● Vielleicht. Wir schreiben nämlich morgen eine Klassenarbeit in ...

Lösungswort: | ? | ? | ? | ? | ? | ? | ? | ? | ? | ? |

5. E-mail

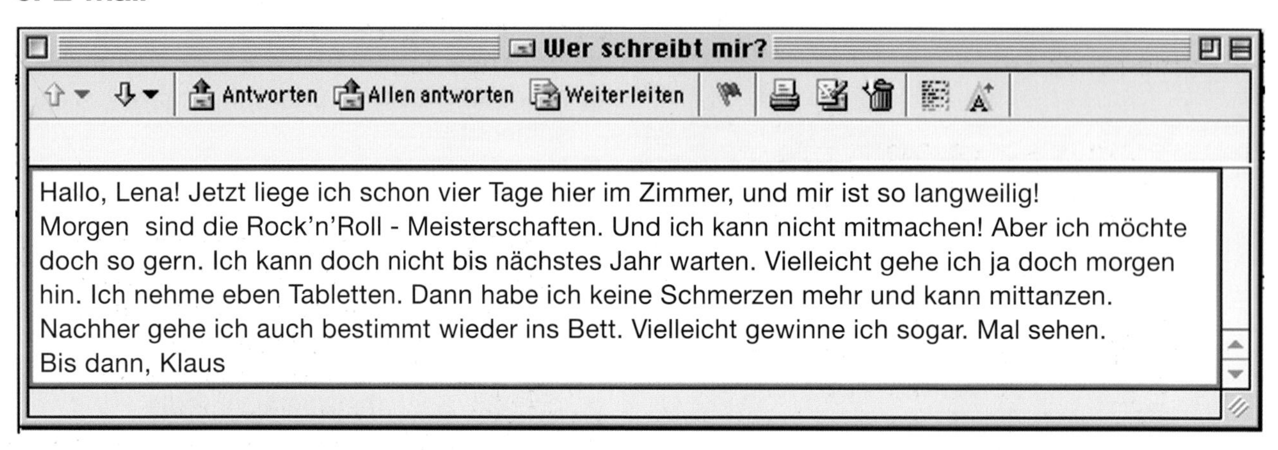

Hallo, Lena! Jetzt liege ich schon vier Tage hier im Zimmer, und mir ist so langweilig!
Morgen sind die Rock'n'Roll - Meisterschaften. Und ich kann nicht mitmachen! Aber ich möchte doch so gern. Ich kann doch nicht bis nächstes Jahr warten. Vielleicht gehe ich ja doch morgen hin. Ich nehme eben Tabletten. Dann habe ich keine Schmerzen mehr und kann mittanzen.
Nachher gehe ich auch bestimmt wieder ins Bett. Vielleicht gewinne ich sogar. Mal sehen.
Bis dann, Klaus

Antworte Klaus. Schreib eine E-Mail.

Schreib so:
Dir ist langweilig. Das verstehe ich. Aber du kannst ... bei den Rock'n'Roll-Meisterschaften ... Du musst eben ... Bitte geh nicht ... Nimm ... Nachher geht es dir bestimmt ...

6. Wir reden in der Gruppe

Schreibt Karten zum Thema „Sport" und „mein Körper".

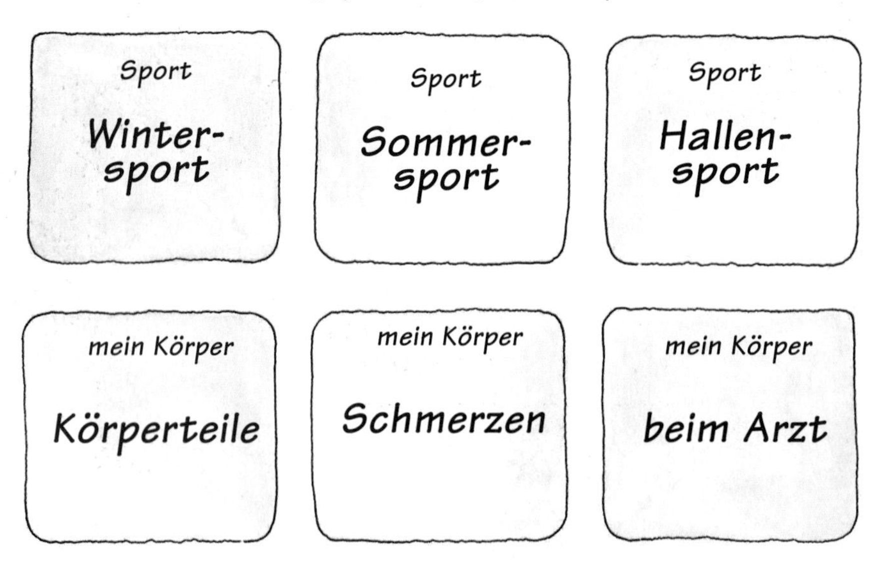

Macht Gruppen. Legt die Karten auf den Tisch. Einer zieht eine Karte und stellt eine Frage; ein anderer antwortet.

Beispiel „Sport":	Welchen Sport machst du im Winter?	– Schifahren.
	Welchen Sport macht man in der Halle?	– Basketball.
	Welchen Sport magst du am liebsten?	– ...
Beispiel „mein Körper":	Wie sind deine Augen?	– Blau.
	Wie findest du Arnold Schwarzeneggers Schultern?	– Zu breit.
	Hast du Kopfschmerzen?	– Nein, mein Hals tut weh.
	Wo tut's denn weh?/ Was hast du denn?/ Was ist denn los?	– Ich habe ...schmerzen.
		– Ich glaube, ich habe Fieber.

Na so was!

Reklame im Sport

Ich bin Hans Backenhauer, der Supersportler.
Ich springe am höchsten, ich laufe am schnellsten, ich schwimme am besten, ich habe auch schon viele Medaillen.

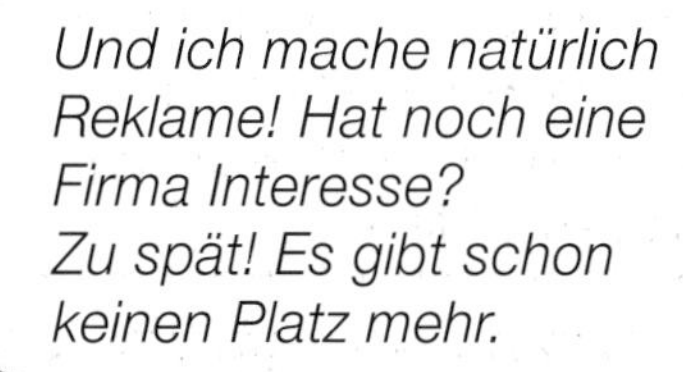

Und ich mache natürlich Reklame! Hat noch eine Firma Interesse? Zu spät! Es gibt schon keinen Platz mehr.

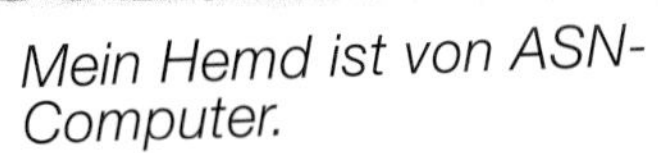

Mein Hemd ist von ASN-Computer.
Meine Hose ist von Schoko-koko-Kakao.
Meine Strümpfe sind von In-Form.
Meine Turnschuhe sind von der Firma Mikes.

Ich trinke nur Superfit-Limonade und esse nur Alpenglück-Käse. Und ...

Tja, ich nehme auch Tabletten. Welche? Das sage ich nicht!

a) Wie findest du Reklame im Sport?
b) Manche Sportler nehmen Tabletten. (Man spricht hier von „Doping“.) Sie glauben, sie sind dann noch besser. Findest du das richtig?

Lesen

Ein Teil von mir selbst

Tipp
Achte besonders auf Wörter, die du schon kennst. Die anderen kannst du oft aus dem Kontext erschließen.

Immer mehr Jugendliche lassen sich kleine Stecker und Ringe durch Augenbrauen, Nase, Bauchnabel oder Zunge stechen. Auch Tätowierungen werden immer beliebter. Dabei gibt es gesundheitliche Gefahren und es ist möglich, dass diese Mode eines Tages vorbei ist.

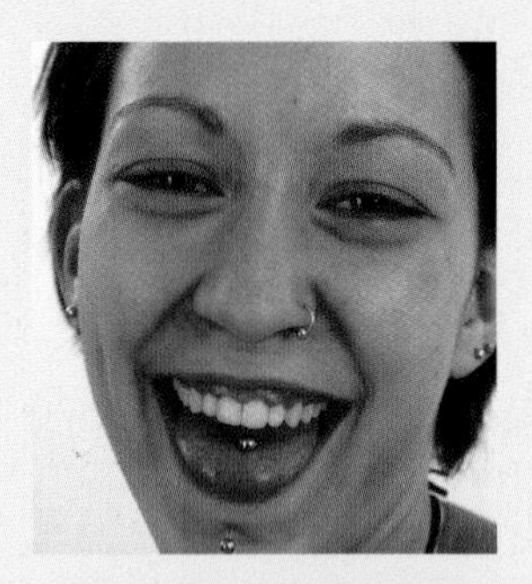

Natalie (16) ist mehrfach gepierct und hat ein Tattoo am Oberarm: „Meinen Nasenring habe ich schon zwei Jahre, das Zungenpiercing seit einem Jahr. Und mein Tattoo ist ein halbes Jahr alt. Das gibt es nur einmal auf der Welt. Ich habe es zusammen mit dem Tätowierer gezeichnet. Das Lippenpiercing habe ich auch vor einem halben Jahr machen lassen. Ich finde, es hat noch gefehlt. Der Nasenring war mir zu wenig, und die Zunge sieht man eigentlich nicht. Mit dem Zungenpiercing ist das so eine Sache: Man kann Probleme bekommen, am Anfang wenigstens. Die Zunge wird dann ganz dick, und man kann nicht richtig sprechen. Das ist mir passiert. Leider! Aber jetzt geht es gut.

Till ist am Oberarm tätowiert: „Meine Tattoos bedeuten mir sehr viel. Sie stehen für mein Leben. Ich liebe die Sonne und ich bin Leistungsschwimmer. Darum habe ich den Delfin und die Sonne gewählt. Ich denke, das Tattoo wird mir auch noch mit 60 Jahren gefallen."

Pia und **Iris** sind 12 Jahre alt. Sie erzählen: „Wir haben uns spontan in der Schule mit Henna bemalt. Die Tattoos haben wir auf einem Blatt vorgezeichnet. Mit Henna kann man sehr gut experimentieren. Manchmal missglückt auch ein Tattoo. Aber da sie nach einiger Zeit wieder verschwinden, muss man sich nicht darüber ärgern. Henna-Tattoos finden wir toll, weil sie nicht ewig halten. Für ein richtiges Tattoo sind wir noch zu jung. Unsere Eltern erlauben es uns nicht."

Piercing und Tattoos können auch gefährlich sein. Davor warnen Ärzte und Gesundheitsämter. Viele Piercer haben ihre Arbeit nicht richtig gelernt. Sie arbeiten manchmal auch mit unsauberen Geräten. Andrea (17) hat es am eigenen Körper erfahren: Sie wollte Ohrringe haben. Die Ohrlöcher haben sich entzündet, und sie musste ins Krankenhaus.

Was ist richtig? a oder b?

1. Piercing und Tätowierungen werden immer beliebter.
a) Aber diese Mode gibt es immer.
b) Aber für die Gesundheit kann das gefährlich sein.

Lesen

2. Natalie meint,
a) Zungen-Piercing ist zuerst etwas schwierig, denn die Zunge wird dick und man kann nicht richtig sprechen.
b) Zungen-Piercing ist am Anfang kein Problem.

3. Für Till sind seine Tattoos wichtig.
a) Er glaubt, seine Tattoos werden ihm auch in 60 Jahren noch gefallen.
b) Er mag die Sonne, und er schwimmt gern. Darum hat er die Sonne und einen Delfin als Tattoo.

4. Pia und Iris finden Henna-Tattoos gut.
a) Aber ihre Eltern erlauben es nicht.
b) Mit Henna kann man gut experimentieren: Diese Tattoos gehen wieder weg.

5. Piercing und Tattoos können auch gefährlich sein.
a) Viele Piercer haben keine Arbeit.
b) Andrea war im Krankenhaus. Die Löcher in ihren Ohren hatten sich entzündet.

Lernwortschatz

Wortschatz

Körperteile:

der Kopf
die Haare
die Augen
die Ohren
die Nase
der Mund
die Zähne
der Hals
die Schulter
die Brust
der Bauch
der Rücken
die Hand
der Finger
das Bein
das Knie
der Fuß

das Aussehen von Personen beschreiben:

lang – kurz
groß – klein
breit – schmal
hart – weich
dick – dünn
blond
muskulös
attraktiv
romantisch
interessant

über das Befinden sprechen:

Was hast du denn?
Wo tut´s denn weh?
Hast du Schmerzen?

Mir ist ganz schlecht.
Mein Bauch/Hals ... tut so weh.
Ich habe solche Bauchschmerzen/Halsschmerzen ...

Grammatik

1. Verb

Modalverb *können*

Mein Bein tut weh. Ich kann nicht Fußball spielen. Du hast keine Zeit. Du kannst nicht kommen. Maria ist krank. Sie kann nicht in die Schule gehen. nicht können = es geht (jetzt) nicht	Wir sind Leistungssportler. Wir können sehr gut schwimmen. Ihr versteht die Matheaufgabe nicht. Ihr könnt sie nicht machen. Sie sind noch sehr klein. Sie können noch nicht sprechen. (nicht) können = (nicht) fähig/gut sein

2. Possessivartikel

3. Person Singular

	Nominativ Singular			Nominativ Plural
	Maskulinum	Neutrum	Femininum	
er/es sie	sein Kopf ihr Kopf	sein Bein ihr Bein	seine Hand ihre Hand	seine Augen ihre Augen
	Akkusativ Singular			Akkusativ Plural
	Maskulinum	Neutrum	Femininum	
er/es sie	seinen Kopf ihren Kopf	sein Bein ihr Bein	seine Hand ihre Hand	seine Augen ihre Augen

3. Person Plural/Höflichkeitsform

	Nominativ Singular			Nominativ Plural
	Maskulinum	Neutrum	Femininum	
sie/Sie	ihr/Ihr Kopf	ihr/Ihr Bein	ihre/Ihre Hand	ihre/Ihre Augen
	Akkusativ Singular			Akkusativ Plural
	Maskulinum	Neutrum	Femininum	
sie/Sie	ihren/Ihren Kopf	ihr/Ihr Bein	ihre/Ihre Hand	ihre/Ihre Augen

Musik gestern und heute

3

Schau die Bilder in der Mitte an.
Von wem ist was? Zum Beispiel: Die Haare sind von …
…

A Welche Musik magst du?

1. Kleine Geschichte der deutschen Popmusik

1
Peter Kraus war der erste deutsche Rock´n´Roll-Star. Er hat zwischen 1956 und 1961 viele Schlager gesungen und auch einige Filme gemacht.

2
Die 60er-Jahre waren die Zeit der Beatles. Auch in Deutschland war die Jugend verrückt nach dieser Musik. Die bekannteste deutsche Gruppe waren die „Rattles“. Man hat sie die „deutschen Beatles“ genannt.

3
Ende der 70er-Jahre war die Zeit des Hardrock. Die Jugendlichen haben Bands wie „Deep Purple“ oder „Kiss“ gehört. Auch die deutsche Gruppe „Scorpions“ hat ihre Songs in Englisch gesungen. Ihr Hit „Rock you like a hurricane“ ist weit über Deutschland hinaus bekannt geworden.

4
Früher hat Peter Maffay nur einfache Schlager gesungen. 1978 hat er eine lange Reise gemacht und ist mit neuen Ideen zurückgekommen. Von da an hat er Rockmusik gemacht. Er mag Motorräder. Er ist manchmal mit dem Motorrad auf die Bühne gefahren.

5
Nach einer Deutschlandtournee 1982 war BAP auf einmal eine der bekanntesten deutschen Rockgruppen. Wolfgang Niedecken, der Sänger der Gruppe, hat alle Texte in Kölner Dialekt selbst geschrieben. Gleich von ihrer zweiten LP hat BAP in vier Wochen 400 000 Stück verkauft. Zwanzig Jahre später hat die Gruppe immer noch großen Erfolg.

Was passt?

1	2	3	4	5	6	7	8	9
?	?	?	?	?	?	?	?	?

E

6
Falco ist 1957 in Wien geboren und 1998 auf den Westindischen Inseln tödlich verunglückt. Eigentlich war sein Name Hans Hoelzel. Sein größter Hit im Rap-Rock-Stil war „Rock me, Amadeus". Der Song hat 1985 in den USA und in den englischen Charts Platz 1 erreicht.

7
1992 haben die „Fantastischen 4" gezeigt, dass HipHop auch in deutscher Sprache möglich ist: Die Single „Die da" war ein großer Erfolg der vier Jungen aus Stuttgart. Aber sie haben nicht nur Musik gemacht, sondern auch Videospiele produziert.

F

8
Ende der 90er-Jahre hatte „Tic Tac Toe", die erste deutsche Girlie-Group, großen Erfolg. Die 3 Mädchen aus dem Ruhrgebiet haben freche Rap-Songs gesungen, und vor allem die 12- bis 14-Jährigen haben in den Discos dazu getanzt.

9
Die Deutsch-Inderin Sabrina Setlur ist Deutschlands bekannteste Rapperin. Sie ist in Rödelheim bei Frankfurt geboren. Am Anfang hat sie Lieder mit sehr aggressiven Texten gesungen. Dann war sie ruhiger. 1997 wurde ihr Album „Die neue S-Klasse" ein großer Erfolg. Wie immer hat sie alle Texte selbst geschrieben. Man nennt sie auch die deutsche Rap-Queen.

G

H

I

2. Alfred und Freddy

● Sag mal, Alfred, was hast du denn am Sonntag gemacht?
▲ Also, ich bin um sieben Uhr aufgestanden.
● Was? Ich stehe nie um sieben Uhr auf.
▲ Dann bin ich in den Wald gegangen und habe Jogging gemacht.
● Was? Ich gehe nie ...
▲ Um halb neun habe ich gefrühstückt.
● ...
▲ Dann habe ich drei Stunden Klavier gespielt.
● ...
▲ Um zwölf Uhr habe ich zu Mittag gegessen.
● ...
▲ Nachher habe ich mein Zimmer aufgeräumt.
● ...
▲ Dann habe ich Hausaufgaben gemacht.
● ...
▲ Danach habe ich zwei Stunden Englisch und Mathe gelernt.
● ...
▲ Später habe ich Musik von Mozart und Beethoven gehört. Wunderbar!
● ...
▲ Nach dem Abendessen bin ich gleich ins Bett gegangen.
● ...
▲ Mein Sonntag war wirklich schön.
● ...

Was sagt Freddy?

Tipp
In der Grammatik gibt es manchmal Ausnahmen, die man lernen muss. Konzentriere dich zuerst auf die regelmäßige Form. Sie kommt öfter vor. Lerne dann die Ausnahmen.

Grammatik

Perfekt = haben / sein + Partizip Perfekt

haben		sein
alle Verben	*außer*	*Verben der Bewegung:* ● → x
Ich habe Deutsch gelernt. Du hast aufgeräumt. Er hat gelacht. Wir haben Hausaufgaben gemacht.		Ich bin nach Italien gefahren. Du bist ins Bett gegangen. Er ist aufgestanden. Wir sind nach Amerika geflogen.

Partizip Perfekt

ge- ( ) -t		ge- ( ) -en		ge- ( ) -en und Vokalwechsel	
machen	ge mach t	kommen	ge komm en*	sprechen	ge spr o ch en
spielen	ge spiel t	lesen	ge les en	schreiben	ge schr ie b en
wohnen	ge wohn t	geben	ge geb en	singen	ge s u ng en
malen	ge mal t	schlafen	ge schlaf en	finden	ge f u nd en
zeichnen	ge zeichne t	fahren	ge fahr en*	trinken	ge tr u nk en
lernen	ge lern t	...		fliegen	ge fl o g en*
arbeiten	ge arbeite t			steigen	ge st ie g en*
hören	ge hör t			treffen	ge tr o ff en
...		essen	ge g ess en ⚠	...	

Verben auf -ieren		Verben mit Vorsilbe		trennbare Verben	
telefonieren	telefon iert	bekommen	bekommen	aufstehen	auf ge stand en*
fotografieren	fotograf iert	vergessen	vergessen	fernsehen	fern ge seh en
...		verlieren	verloren	anfangen	an ge fang en
		beginnen	begonnen	aufräumen	auf ge räum t
		verkaufen	verkauft	einkaufen	ein ge kauf t
		...		...	

unregelmäßige Verben	
⚠ sein	gewesen*
gehen	gegangen*
nehmen	genommen
stehen	gestanden

*Perfekt mit *sein*

3. Wo warst du?

13

● Wo warst du gestern Nachmittag?
▲ Ich war zu Hause. Ich habe Klavier gespielt.
● Aber wir waren doch verabredet. Ich habe zwei Stunden gewartet.
▲ Oh, entschuldige, das habe ich ganz vergessen.

Macht weitere Dialoge.

Gitarre spielen — schlafen

Briefe schreiben — Latein lernen

das Zimmer aufräumen — fernsehen

Hausaufgaben machen — zu Oma fahren

Grammatik

	Präsens (jetzt/heute)	Präteritum (vorher/gestern)
ich	bin	war
du	bist	warst
er/es/sie	ist	war
wir	sind	waren
ihr	seid	wart
sie/Sie	sind	waren

4. Tagebuch

Mittwoch, 24. 10.
Ich bin ja so glücklich! Ich glaube, ich ___ das schönste Geschenk meines Lebens bekommen. Aber langsam, der Reihe nach!
Heute ist mein Geburtstag. Nach der Schule ___ ich gleich nach Hause gegangen und ___ die Hausaufgaben gemacht. Später ___ fünf Freunde gekommen und wir ___ ein bisschen gefeiert. Mama ___ eine Torte gebacken. Sie ___ sehr gut geschmeckt. Und dann ___ ich die Geschenke aufgemacht. Meine Großeltern ___ mir Inline-Skates geschenkt. Die ___ ich mir schon lange gewünscht. Von meiner Schwester ___ ich ein Poster der Bravo Boys bekommen. Super! Aber dann: Von meinen Eltern ___ gar kein Geschenk dabei gewesen, nur ein kleiner Umschlag. Ich ___ den Umschlag aufgemacht und ... eine Karte für das Konzert der Bravo Boys am Samstag! Ich kann es immer noch nicht glauben.

Setz ein:

habe
hat
haben
bin
ist
sind

Freitag, 26. 10.
Ich bin ja so aufgeregt! Morgen gehe ich ins Bravo-Boys-Konzert. Dann sehe ich sie zum ersten Mal live, ganz aus der Nähe, vor allem Teddy!
Heute war kein guter Tag in der Schule. Aber das ist mir egal! Ich habe nämlich immer nur an die Bravo Boys ___. Einmal hat mich der Mathelehrer ___, aber ich habe ihn nicht ___. Im Kunstunterricht war das Thema ein Tiger, aber ich habe einen Elefanten ___. Der Geschichtsunterricht war wieder einmal total langweilig. Ich bin ___ und habe von Teddy ___. Nach der Schule war es auch nicht besser. Ich habe für Mami ___. Das mache ich ja immer. Aber diesmal habe ich den Zettel zu Hause ___. Dann habe ich nicht mehr ___, was ich kaufen soll. Am Schluss war alles falsch, na ja.
Die Hausaufgaben habe ich heute gar nicht ___. Die mache ich am Sonntag.

Setz ein:

gehört
vergessen
gedacht
gemalt
eingekauft
geträumt
gewusst
aufgerufen
eingeschlafen
gemacht

Und das passiert am Samstag:
Conny geht ins Konzert der Bravo Boys. Das Konzert fängt um sieben Uhr an. Aber sie ist schon um halb sechs da. Sie wartet am Bühneneingang. Da stehen noch 200 andere Leute. Endlich kommen die Bravo Boys. Aber man sieht nichts von ihnen, so viele Polizisten sind da.
Dann geht sie wie alle anderen hinein. Sie findet einen prima Platz, ganz nah bei der Bühne. Zuerst spielt eine andere Gruppe. Endlich ist es so weit! Die Bravo Boys kommen auf die Bühne und singen ihr erstes Lied. Das ist toll! Conny ist ganz nah, sie sieht alle fünf sehr gut, besonders Teddy. Sie mag ihn doch so! Sie ruft: „Teddy, Teddy!“ Vielleicht hört er es. Auf einmal kommt er an den Bühnenrand und nimmt ihre Hand. Sie lacht, sie weint, alles zusammen, so glücklich ist sie!

Schreib Connys Tagebuch weiter.
Schreib so:

Samstag, 27. 10.
Ich glaube, heute war der schönste Tag in meinem Leben!
Ich bin ins Konzert ...

14

5. Vater und die Popmusik

a) Welche Rockgruppe hört Tina gerade?
b) Wie findet Vater diese Musik?
c) Wie alt ist der Vater?
d) Welche Musik hat er früher gehört?
e) Was haben die Großeltern gesagt?
f) Warum lacht Tina am Ende?
g) Warum lacht Vater am Ende?

Welche Musik hörst du gern?
Wie finden deine Eltern deine Musik?

6. Welche Musik magst du?

Unterhaltungsmusik (U-Musik)

Volksmusik

Rockmusik

Jazz

Schlager

Klassische oder ernste Musik (E-Musik)

Kammermusik

Orchestermusik

Oper (Plural: Opern)

Frag deinen Partner:

Welche Musik magst du	am liebsten? sehr (gern)? (gern)? nicht so (gern)? nicht (gern)? überhaupt nicht? gar nicht?

Magst du	Rockmusik? ...

Ich mag Rockmusik	am liebsten. ...

B Junge Musiker

1. Mozart – das Wunderkind

Reporter: Guten Tag, liebe Hörerinnen und Hörer! Wir schreiben das Jahr 1790. Und hier kommt auch schon unser Ehrengast: Wolfgang Amadeus Mozart. Herzlich willkommen!

Mozart: Guten Tag!

Reporter: Herr Mozart, Sie sind jetzt 34 Jahre alt. Aber Sie haben schon sehr früh angefangen.

Mozart: Das ist richtig. Ich war noch ein Kind, genau fünf Jahre alt. Da habe ich mein erstes Stück komponiert.

Reporter: Alle Achtung! Sie waren ja ein richtiger Kinderstar.

Mozart: Naja. Ich habe schon sehr früh Konzerte gegeben, mit sechs Jahren mein erstes. Ich habe damals in Wien, in München und sogar in Paris gespielt.

Reporter: Nicht schlecht! Wie viele Opern und Symphonien haben Sie eigentlich schon geschrieben?

Mozart: Das ist schwer zu sagen. Ich glaube, 18 Opern, Singspiele und so, ungefähr 50 Symphonien und etwa 30 Konzerte für Klavier, und natürlich noch viele andere Stücke, zum Beispiel Sonaten, Lieder und so weiter.

Reporter: Schreiben Sie gerade wieder etwas?

Mozart: Ja, natürlich. Zur Zeit schreibe ich an der Oper „Così fan tutte".

Reporter: Haben Sie Projekte für die Zukunft?

Mozart: Ja, ich will noch eine Oper schreiben. Sie soll „Die Zauberflöte" heißen.

Reporter: Herr Mozart, ich wünsche Ihnen viel Erfolg. Und danke für das Gespräch!

Anmerkung der Redaktion:
Mozart ist am 5. Dezember 1791 gestorben.

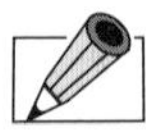

Lies das Interview genau.
Schreib einen Artikel für die Schülerzeitung „Domino".
Schreib so: Mozart ist ... geboren. Er hat sein erstes Stück ...

2. Pünktchen-Pünktchen

Die Gruppe „Pünktchen-Pünktchen" ist eine Schülerband. Ihre Schule ist in Ronsdorf bei Wuppertal. Ihr Lehrer heißt Kalle Waldinger. Er ist der Leiter von „Pünktchen-Pünktchen". Bei Kalle, so nennen ihn die Schüler, haben sie gelernt, wie man Rockmusik macht.

Interview mit Klaus Laarmann

P.S.:* Klaus, du bist Mitglied der deutschen Schülerrockgruppe „Pünktchen-Pünktchen". Kannst du von dieser Band erzählen?
Klaus: Ja, wir kommen aus Wuppertal und
5 gehen alle auf dieselbe Schule, sind zwischen 12 und 16 Jahre alt, texten unsere Stücke alle selbst und schreiben die Stücke auch selbst. Ich bin der eine Gitarrist.
P.S.: Seit wann gibt es eigentlich „Pünkt-
10 chen-Pünktchen"?
Klaus: „Pünktchen-Pünktchen" gibt es seit 3 Jahren, und wir haben seit ungefähr anderthalb Jahren eine Sängerin, die 12 Jahre alt ist und inzwischen auch voll integriert ist.
15 *P.S.:* Und wie hat es mit der Band angefangen?
Klaus: Das war so: In unserer Schule sind Arbeitsgemeinschaften angeboten worden, und wir haben dann die Rockarbeitsge-
20 meinschaft gewählt und sind dann in diesen Proberaum gekommen, wo der Kalle war, und der hat dann angeboten, mit uns Bands zu machen. Und dann sind wir eben in eine Band gekommen und haben angefangen,
25 Stücke zu schreiben.
P.S.: Und wie ist es dann weitergegangen?
Klaus: Wir sind dann nach einiger Zeit auch aufgetreten. Und dann kamen immer größere Auftritte, und irgendwann haben wir
30 dann gesagt: Wir wollen eine Platte machen. Dann sind wir ins Studio gegangen und haben unsere erste Platte gemacht. Seitdem machen wir … haben wir jedes Jahr eine Platte gemacht.
35 *P.S.:* Was heißt größere Auftritte?
Klaus: Auftritte auch überregional oder auch Fernsehauftritte, Radioauftritte.
P.S.: Heißt das, dass ihr Rockstars seid, oder seid ihr Schüler, die ein Freizeitinteresse
40 haben?
Klaus: Das heißt auf keinen Fall, dass wir Rockstars sind. Das ist also wirklich so, dass wir eine Freizeitbeschäftigung haben, wie andere Leute Fußball spielen.
45 *P.S.:* Und wie wird es damit weitergehen, glaubst du?
Klaus: Ich weiß es nicht. Ich glaube, erst mal werden wir weiter zusammenbleiben, auftreten. Und im Herbst oder im Winter eventuell
50 eine LP rausbringen.
P.S.: Habt ihr Texte genug für eine LP?
Klaus: Ja – oder wenn es nicht reicht, werden wir noch einige Stücke schreiben.
P.S.: Danke schön!

*P.S. = Praktisk Sprog, eine Zeitschrift

a) Was erzählt Klaus zuerst? – Ordne:

? Wie die Band zusammengekommen ist.
? Was die Band noch machen will.
? Wie die Band Karriere gemacht hat.
1 Wie die Band aussieht.

b) Wie ist die Gruppe entstanden? – Ordne:

? Die Schüler haben Lieder geschrieben.
1 Die Schüler sind in eine Arbeitsgemeinschaft gegangen.
? Die Schüler sind in eine Band gekommen.
? Der Lehrer hat gefragt, wer in einer Band mitmachen möchte.

c) Und die Karriere der Gruppe? – Ordne:

? Die Gruppe hat ihre erste Platte gemacht.
1 Die Gruppe hat kleine Konzerte gegeben.
? Sie hat jedes Jahr eine Platte gemacht.
? Die Gruppe hat außerhalb von Wuppertal und im Fernsehen gespielt.

d) Wie steht es im Text? Suche die passenden Sätze.

- Die Gruppe macht die Texte und die Musik selbst.
  Im Text steht: „… texten unsere Stücke alle selbst und schreiben die Stücke auch selbst." (Zeilen 6 bis 8)
- Die Sängerin gehört fest zur Gruppe.
  Im Text steht: …
- In der Schule kann man am Nachmittag Fächer wie Keramik, Fotografie und Rockmusik wählen.
  Im Text steht: …
- Die Gruppe hat immer mehr Konzerte gegeben, nicht nur in Wuppertal.
  Im Text steht: …

3

Na so was!

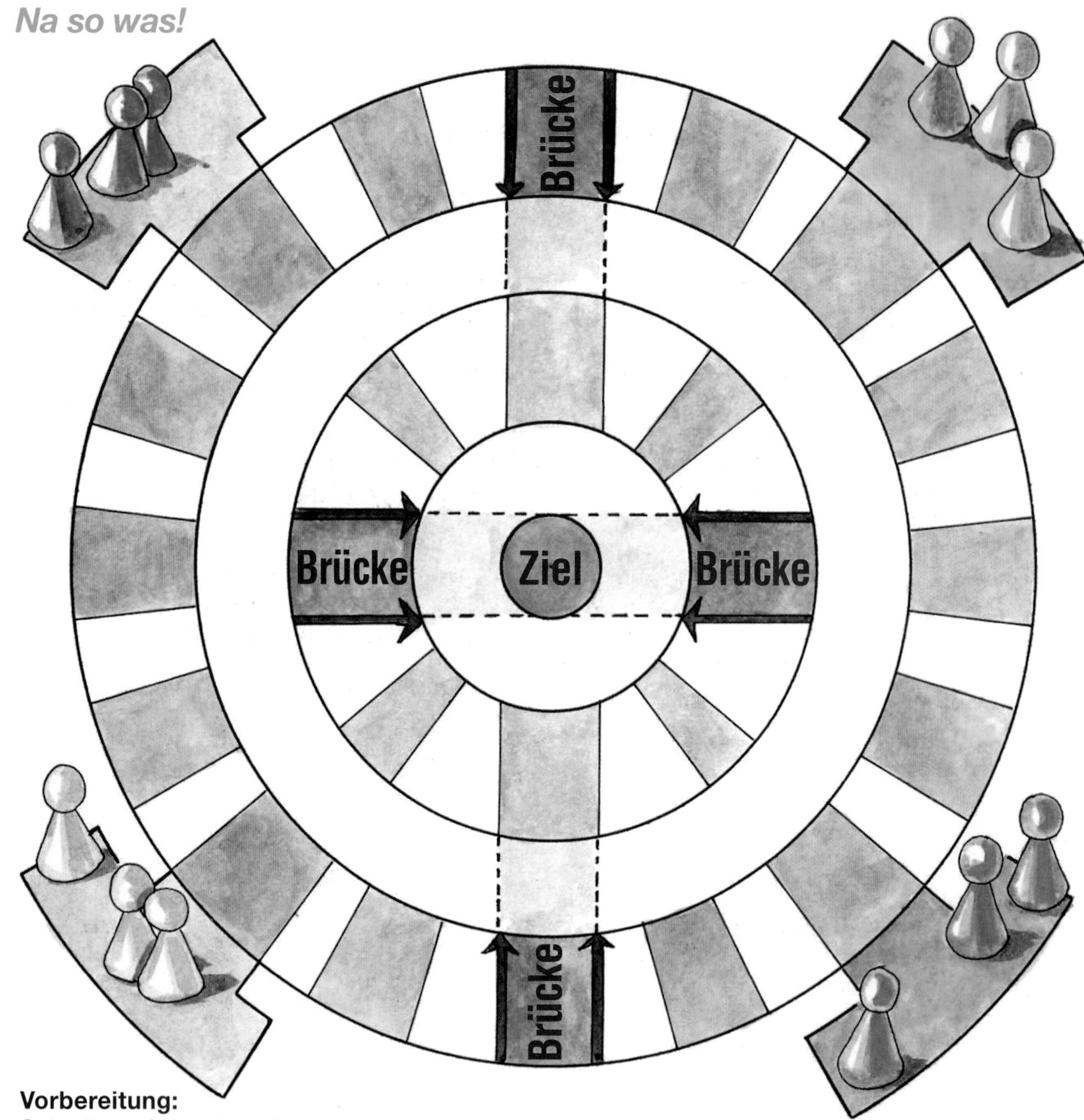

Vorbereitung:
Schreibt auf Kärtchen Fragen über deutsche und österreichische Komponisten und Popmusiker. Bildet Fragen aus dem Text „Kleine Geschichte der deutschen Popmusik" und aus dem Interview mit „Pünktchen-Pünktchen". Ihr könnt auch Fragen zu euren Popstars stellen. Mischt die Kärtchen und legt sie in die Mitte.

So geht das Spiel:
Jeder Spieler (jede Spielgruppe) hat drei Spielsteine in den Farben wie die Startfelder. Man würfelt. Wer auf eine Brücke kommt, nimmt ein Kärtchen, muss die Frage vorlesen und in 5 Sekunden beantworten. Wenn man die Frage beantworten kann, darf man in den zweiten Kreis gehen. Wenn man die Frage nicht beantworten kann, muss man stehen bleiben und in der nächsten Runde auf dem ersten Kreis weitergehen. Ebenso vom zweiten Kreis ins Ziel. Wenn man auf ein besetztes Feld kommt (das heißt: hier steht schon der Spielstein eines anderen Mitspielers), muss der andere Spielstein ins Startfeld zurück.

Wer bringt einen Spielstein als Erster ins Ziel?

Lesen

Lesen

Was stört dich an den Popstars am meisten?

„Hmm ... also, mich stört gar nichts. Alles wunderbar!“
Tobias Böhmer, 13 Jahre, Jüchen

„Mich stören die Liebesgeschichten der Stars. Überall lassen sie sich mit ihren Partnern fotografieren. Jeder sagt, mit wem er zusammen ist und warum. Wen interessiert denn das?“
Steffi Wolters, 16 Jahre, Eisdorf

„Ich finde doof, dass die Stars oft unfreundlich sind und keine Autogramme geben. Ich kann verstehen, dass sie auch manchmal im Stress sind, aber ein Autogramm geben und lächeln tut doch nicht weh!“
Yvonne Hecht, 15 Jahre, Kaden

„Es gibt überhaupt keine neuen Lieder mehr. Das gefällt mir nicht. Jeder macht ein Remake von einem alten Lied, und die neue Version ist meistens schlechter. Mehr neue Ideen bitte!“
Thomas Weers, 17 Jahre, Siegburg

„Mich stört es, dass viele Stars Texte ohne Sinn singen. Sie wollen nur Geld verdienen, aber was sie da singen, ist total uninteressant.“
Iris Kofler, 16 Jahre, Bielefeld

Wer meint das?

a) Die Popstars machen keine neuen Lieder.
b) Popstars sind nicht immer nett.
c) Das Privatleben der Stars ist doch uninteressant.
d) Popstars sind fantastisch.
e) Viele Popstars singen Lieder ohne Sinn.

Lernwortschatz

Wortschatz

Musikstile:

Unterhaltungsmusik
Popmusik
Rockmusik
Jazz
Schlager
Volksmusik

klassische Musik
Orchestermusik
Oper

etwas beurteilen:

Welche Musik/Was magst du	am liebsten? gern? nicht so (gern)? überhaupt/gar nicht?
Ich mag Rockmusik/ ...	am liebsten. gern. nicht so (gern). überhaupt/gar nicht.

Grammatik

Grammatik

Verb

a) Perfekt

Perfekt =	haben sein	+ Partizip Perfekt

haben	sein
alle Verben *außer*	*Verben der Bewegung:* ● → x
Ich habe Deutsch gelernt. Du hast das Zimmer aufgeräumt. Er hat ein Buch gelesen. Wir haben nichts gemacht.	Ich bin nach England gefahren. Du bist ins Bett gegangen. Er ist um acht Uhr aufgestanden. Wir sind nach Spanien geflogen.

Er ist bekannt geworden.
Ich bin in Hamburg geblieben.
Du bist nett gewesen.

Partizip Perfekt

ge- ( ) -t	ge- ( ) -en	ge- ( ) -en und Vokalwechsel
ge mach t	ge komm en	ge spr o ch en

-ieren	Verben mit Vorsilbe	trennbare Verben
telefon iert	bekommen	fern ge seh en

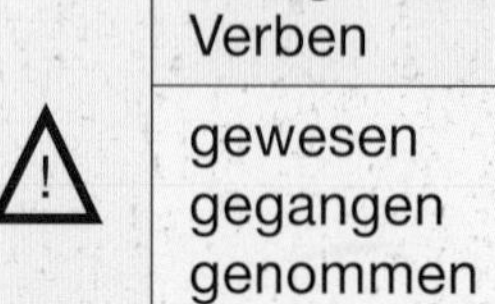

unregelmäßige Verben
gewesen gegangen genommen gestanden

b) Präteritum von sein

Wo warst du gestern?
Ich war im Kino.

ich	war
du	warst
er/es/sie	war
wir	waren
ihr	wart
sie/Sie	waren

Wir machen Musik

4

A Das ist wohl typisch deutsch, oder?
B Da gehen meine Eltern immer hin. Ich finde es da eher langweilig.
C Schau mal! Wie Jan und Florian!
D Ach, die Kleine spielt aber schon gut Flöte!
E Die üben bestimmt für die Schulparty.

Was passt?

1	2	3	4	5
?	?	?	?	?

Welche Musik hörst du am liebsten? Welche magst du gar nicht?

A Musik als Hobby

1. Darf ich heute …?

1 15

● Mama, darf ich heute Abend das Konzert im Fernsehen sehen?
▲ Nein, du musst ins Bett. Das wird sonst zu spät. Du musst morgen früh aufstehen.
● So ein Mist! Meine Schwester darf immer länger aufbleiben.
▲ Sie ist ja auch älter als du!

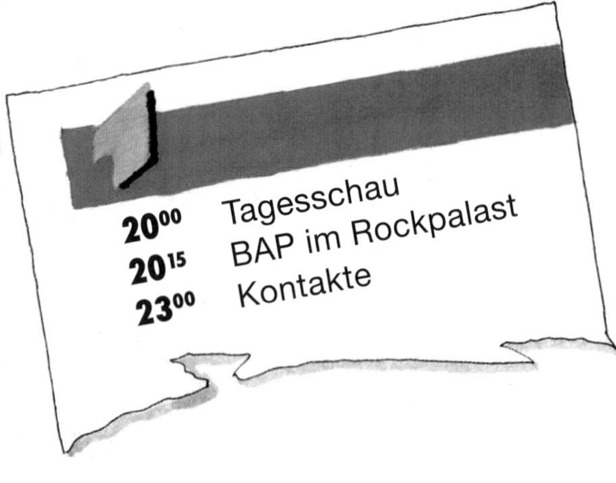

20⁰⁰ Tagesschau
20¹⁵ BAP im Rockpalast
23⁰⁰ Kontakte

Macht weitere Dialoge.

ins Rockkonzert gehen / immer am Abend weggehen
in die Disco gehen / immer ausgehen
das neue Computerspiel ausprobieren / immer länger aufbleiben

Grammatik

Darf ich heute Abend ausgehen?
Er darf nicht in die Disco gehen.

dürfen = die Erlaubnis haben

ich	darf
du	darfst
er/es/sie	darf
wir	dürfen
ihr	dürft
sie/Sie	dürfen

Tipp
Verbinde Wörter mit Bildern oder Szenen. Du kannst die Wörter dann besser behalten.

Sie darf nicht:

Die Mutter hat „nein“ gesagt:
Sie muss zu Hause bleiben.
Sie muss Hausaufgaben machen.

Sie kann nicht:

Sie ist krank.
Sie hat keine Zeit.
Sie macht etwas anderes.

2. Kurz gesagt

Immer vier Sätze gehören zusammen.

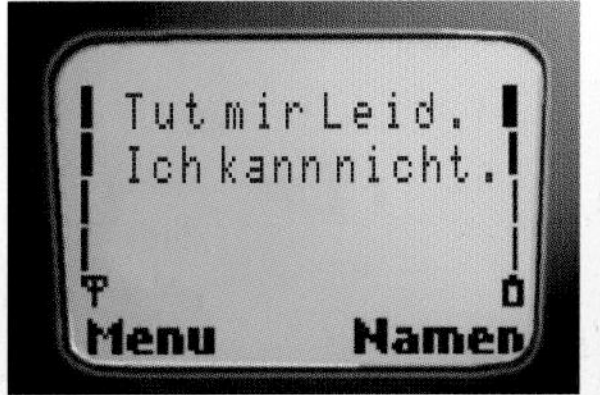

16

3. Kein Taschengeld mehr

● Du, Papi, ich möchte ein Poster von BAP kaufen.
▲ Na, dann kauf doch eins.
● Ja schon, aber …
▲ Ah, ich verstehe. Du hast kein Taschengeld mehr. Was kostet denn eins?
● 9 Euro 50.
▲ Na gut, hier hast du 10 Euro.

 Macht weitere Dialoge.

der	Kaugummi/0,40 EUR *(40 Cent)* Taschenrechner/7,50 EUR *(7 Euro 50)*
das	Taschenbuch/4,90 EUR *(4 Euro 90)* Notenheft/1,80 EUR *(1 Euro 80)*
die	Cassette/3,10 EUR *(3 Euro 10)* CD/9,90 EUR *(9 Euro 90)*

Grammatik

	Singular						Plural	
Nominativ	der	einer meiner keiner	das	eins meins keins	die	eine meine keine	die	welche meine keine
Akkusativ	den	einen meinen keinen	das	eins meins keins	die	eine meine keine	die	welche meine keine

4. Geburtstagsgeschenke

Dresden, den 20. Mai

Hallo, Matthias,

danke für deine Geburtstagsgrüße. Schade, dass du nicht da warst! Die Party war super. Meine Schwester hat viele tolle CDs, und Petra hat auch (a) mitgebracht. Wir hatten sogar zehn Minuten Live-Musik! Meine Freunde haben mir nämlich ein Lied zum Geburtstag gemacht. (b), er heißt Tom, hat Gitarre gespielt. Die anderen haben gesungen. Na ja, ziemlich falsch. (c) von ihnen kann gut singen. Aber das macht ja nichts. Es war toll.
Nur die Geschenke, na ja! Meine Oma hat mir einen CD-Player geschenkt. Aber ich habe doch schon (d). Und (e) ist viel besser. Mein Cousin Jonas hat mir sein Keyboard geschenkt. Das ist ja nett. Aber ich brauche doch (f) mehr. (g) ist noch ganz neu. Kannst du nicht (h) brauchen? Von Tante Doris habe ich einen Tennisschläger bekommen. Aber ich habe erst vor zwei Wochen (i) einem Freund gegeben. Ich brauche nämlich (j) mehr. Ich spiele nicht mehr Tennis. Helga hat mir eine Karte für das „Pur"-Konzert gekauft. Aber ich möchte wirklich (k)! Ich mag die Gruppe überhaupt nicht. Brauchst du nicht (l)? Du findest doch „Pur" nicht so schlecht. Dann kannst du (m) haben.

Bis bald *Franziska*

a) Setz ein:

einer 1		einen 4		eins 7		eine 10		welche 13
meiner 2		meinen 5		meins 8		meine 11		
keiner 3		keinen 6		keins 9		keine 12		

Rechenrätsel: a - b + c + d + e + f - g - h - i + j - k + l + m = 25

b) Schreib eine Antwort:

Hallo ...
Die Party war ja ...
Schade, dass ich ...
Das Keyboard ...
„Pur" mag ich ...

B Ein Instrument spielen

1. Ich möchte ein Instrument kaufen

Musikinstrumente

1. Akkordeon, billig zu verkaufen, Tel. 0821/663631
2. Alter Flügel, schwarz, Tel. 0821/517243
3. E-Gitarre mit Koffer, 175,– EUR, Tel. 089/246318
4. Saxophon, 2 Jahre, Tel. 0821/155155, ab Montag
5. Keyboard, wie neu, nur 400,– EUR, Tel. 0221/812363
6. Schlagzeug, ganz neu, Tel. 08272/4398 oder 4733
7. Geige, wie neu, EUR 450,–, Tel. 0911/173456

a) Was passt?

1	2	3	4	5	6	7
?	?	?	?	?	?	?

der Flügel

das | Schlagzeug, Saxophon, Akkordeon, Keyboard

die | Geige, Gitarre

b) Du möchtest ein Instrument kaufen. Du rufst an und stellst Fragen, zum Beispiel:

- Verkaufen Sie ein Saxophon?
- Wie alt ist es?
- Wie ist es denn?
- Was kostet es?
- Wo wohnen Sie?

...

Spiel das Telefongespräch mit deinem Partner.

2. Diese Zwillinge!

17

●● Schau mal, das ist unsere Geige.
▲ Eure Geige? Habt ihr denn nur eine zusammen?
●● Ja klar! Wie findest du denn unsere Geige?
▲ Sehr originell.

Macht weitere Dialoge.

der | Stuhl, Walkman
das | Fahrrad, Bett
die | Gitarre, Schultasche
die | Ohrringe

Grammatik

	Singular						Plural	
Nominativ	der	Stuhl	das	Fahrrad	die	Geige	die	Instrumente
	unser	Stuhl	unser	Fahrrad	unsere	Geige	unsere	Instrumente
	euer	Stuhl	euer	Fahrrad	eure	Geige	eure	Instrumente
Akkusativ	den	Stuhl	das	Fahrrad	die	Geige	die	Instrumente
	unseren	Stuhl	unser	Fahrrad	unsere	Geige	unsere	Instrumente
	euren	Stuhl	euer	Fahrrad	eure	Geige	eure	Instrumente

3. Partnerklassen

Nürnberg, den ...

Liebe Klasse 8c in Verona,

vielen Dank für (a) Brief. Endlich haben wir eine Partnerklasse in Italien gefunden. Das ist toll! (b) Klasse ist ja fast so wie (c). In (d) Klasse gehen nämlich auch viel mehr Mädchen als Jungen, genau 18 Mädchen und elf Jungen. Deshalb sind (e) Jungen oft sauer. Da kann man nichts machen.
(f) Lehrer sind eigentlich alle ganz in Ordnung. (g) Klassenlehrer, Herrn Wegmann, mögen wir sehr gern. Aber am nettesten finden wir (h) Musiklehrer, Herrn Breitner. Wir dürfen im Musikunterricht sogar manchmal (i) Musik hören, Hip-Hop, Techno und so. Vor ein paar Monaten haben wir eine Band gegründet. (j) Klassensprecherin Lisa spielt ganz toll Saxophon. (k) Zwillinge Jan und Jonas spielen gut Gitarre. Dazu haben wir noch ein Schlagzeug, ein Keyboard und Gesang natürlich. Und (l) Musiklehrer ist der Boss. Wir dürfen sogar in der Schule üben, denn (m) Schulhaus ist ziemlich groß, und (n) Klassenzimmer ist ganz am Ende.
Aber nun zu euch. Wie sind (o) Lehrer? Ist (p) Musikunterricht auch so toll? Mögt ihr (q) Musiklehrer? Wie sind (r) Schule und (s) Klassenzimmer? Schreibt bald.

Viele Grüße (t) Klasse 8a aus Nürnberg

Setz ein:

unser	1
unseren	2
unsere	3
euer	4
euren	5
eure	6

Rechenrätsel: a + b + c + d + e + f - g - h - i - j - k + l + m + n + o - p + q - r - s - t = 4

4. Warum nicht?

● Warum übst du nicht Gitarre?
▲ Ach, ich habe keine Lust.
● Wie bitte? Warum nicht?
▲ Weil ich keine Lust habe!

Macht weitere Dialoge.

●	▲
Schlagzeug spielen	keine Zeit haben
das Zimmer aufräumen	krank sein
Latein lernen	Kopfschmerzen haben
ins Kino gehen	Mathe lernen müssen

Grammatik

Warum übst du nicht Klavier?	Ich habe keine Lust. **Weil** ich keine Lust habe.

5. Probe beim Schülerorchester

Mach die Antworten richtig.

■ Warum klingt das heute so schlecht?
▲ Weil hier (spielt - jemand - falsch).
■ Wer ist das?
▲ Klaus!
■ Klaus, warum spielst du so falsch?
● Weil (das Stück - ich - kann - noch nicht).
■ Und warum kannst du das Stück noch nicht?
● Weil (zu wenig - habe - geübt - ich).
■ Und warum hast du zu wenig geübt?
● Weil (hatte - keine Zeit - ich).
■ Und warum hattest du keine Zeit?
● Weil (immer so viele Hausaufgaben - ich - habe).
■ Warum hast du denn immer so viele Hausaufgaben?
● Weil (der Mathelehrer - aufgibt - so viel).
■ Aha! Wer ist denn euer Mathelehrer?
● Sie, Herr Müller.

6. Wir reden in der Gruppe

Schreibt Karten zum Thema „Freizeit“:

Freizeit	Freizeit	Freizeit
Musik	Hobby	Sport

In der Gruppe eine Karte ziehen, eine Frage stellen, antworten.
Beispiel „Musik“: Welche Musik magst du am liebsten?
Wie oft gehst du in ein Rockkonzert?

4

Na so was!

Schlager

Kennt ihr Schlager?
Schlager sind beliebte, modische Lieder.
Alle Schlagersänger möchten in die Hitparade kommen, aber nicht alle schaffen es.
Ein Schlager hat Text und Musik. Manche Texte sind gut, viele Texte sind ziemlich doof.

Wir machen einen doofen Schlagertext.

Das ist gar nicht so schwer.
Man braucht nur ein bisschen Liebe, ein bisschen Glück und ein bisschen Traurigkeit. Und natürlich Reime, zum Beispiel:

Herz – Schmerz oder *Ich liebe dich. – Du liebst mich.*

Findest du Reime zu diesen Wörtern?

allein mein …	zurück …	Ruh' zu …	Leben …	verstehen sehen …	Zimmer …
ja …	wir …	lachen …	gern …	Tag …	Haus …

1 19 So, und jetzt kommt der Schlager. Könnt ihr die Reime fertig machen?

1. Du warst mein ganzes Leben.
   Du hast mir …
   Du warst mein ganzes Glück.
   Ach, bitte …

   Refrain:
   Ich habe keine Ruh'
   Ich frag' mich, wo …
   Du lässt mich so allein.
   Und ich muss …

2. Ich kann dich nicht verstehen.
   Ach, warum …
   Du warst mein ganzes Glück.
   Ach, bitte …

   Refrain:

3. Ich liebe dich noch immer.
   So leer ist …
   Du warst mein ganzes Glück.
   Ach, bitte …

   Refrain:

4. Du weißt, ich liebe dich.
   Ich weiß …
   Du bist mein ganzes Glück.
   …

   Refrain:

Jetzt fehlt nur noch eins: In vielen Schlagern gibt es eine „Rhythmusgruppe". Sie singt irgendwelche Silben ohne Sinn, zum Beispiel: *Schubidu* oder *Schappeldipapp* und so weiter. Das gehört noch ans Ende jeder Zeile. Unser Schlager ist fertig.

Lesen

Komische Instrumente

A Marvin (15) spielt seit fünf Jahren ein seltenes Musikinstrument: Das Digeridoo der Aborigines aus Australien. Marvins Grußmutter lebt in Sydney. Marvin hat sie besucht und dort das Instrument kennen gelernt. Er hat Digeridoo spielen gelernt und ein Instrument nach Deutschland mitgebracht. Es ist ein Rohr, 1,50 Meter lang und aus Holz.

B Der französische Zimmermann Hubert Molard spielt mit einem Zahnstocher auf dem kleinsten Klavier der Welt. Das Instrument ist nur 15,4 Zentimeter lang und hat 88 Tasten. Hubert Molard arbeitete 1500 Stunden, bis das Klavier fertig war.

C Die ältesten Musikinstrumente der Welt haben chinesische Wissenschaftler in Henan (China) gefunden. Die sechs Flöten sind ungefähr 9000 Jahre alt und haben fünf bis acht Löcher. Und das Beste: Man kann sogar heute noch Musik damit machen.

1. Was passt zusammen?

1	2	3
?	?	?

Tipp
Lies einen Text und fasse dann die wichtigsten Informationen in einem Satz zusammen.

2. Was ist richtig? Was ist falsch?

a) Marvin ist 15 Jahre alt und lebt in Australien.
b) Marvins Großmutter hat Marvin das Digeridoo geschenkt.
c) Marvin kann Digeridoo spielen.
d) Hubert Molard hat das kleinste Klavier der Welt gebaut.
e) In China hat man sehr alte Flöten gefunden.
f) Die Flöten sind etwa 9000 Jahre alt und leider kaputt.

Lernwortschatz

Musikinstrumente:

der Flügel
das Akkordeon
das Saxophon
das Schlagzeug
das Keyboard
die Geige
die Gitarre

über Preise sprechen:

Was kostet denn ein Poster? – 9 Euro 50 Cent.
Was kostet das denn?

Grammatik

1. Indefinitpronomen und Possessivpronomen

Nominativ			Akkusativ			Nom./Akk., Plural
de r	da s	di e	de n	da s	di e	di e
eine r keine r	ein s kein s	ein e kein e	ein en kein en	ein s kein s	ein e kein e	welch e kein e
meine r deine r seine r ihre r	mein s dein s sein s ihr es	mein e dein e sein e ihr e	mein en dein en sein en ihr en	mein s dein s sein s ihr es	mein e dein e sein e ihr e	mein e dein e sein e ihr e

2. Possessivartikel

	Nominativ, Singular			Akkusativ, Singular		
	Maskulinum	Neutrum	Femininum	Maskulinum	Neutrum	Femininum
ich	mein	mein	meine	meinen	mein	meine
du	dein	dein	deine	deinen	dein	deine
er/es	sein	sein	seine	seinen	sein	seine
sie	ihr	ihr	ihre	ihren	ihr	ihre
wir	unser	unser	unsere	unseren	unser	unsere
ihr	euer	euer	eure	euren	euer	eure
sie/Sie	ihr/Ihr	ihr/Ihr	ihre/Ihre	ihren/Ihren	ihr/Ihr	ihre/Ihre

	Nominativ und Akkusativ, Plural		
	Maskulinum	Neutrum	Femininum
ich	meine	meine	meine
du	deine	deine	deine
er/es	seine	seine	seine
sie	ihre	ihre	ihre
wir	unsere	unsere	unsere
ihr	eure	eure	eure
sie/Sie	ihre/Ihre	ihre/Ihre	ihre/Ihre

3. Weil-Sätze

Warum siehst du nicht fern?
Ich habe keine Lust.
Weil ich keine Lust habe .

Warum lernst du nicht Englisch?
Ich bin so müde.
Weil ich so müde bin .

Warum bist du im Bett?
Ich bin krank.
Weil ich krank bin .

4. Verb

Modalverb *dürfen*

Darf ich heute Abend ausgehen?
Nein, du darfst heute nicht ausgehen, du musst Hausaufgaben machen.

ich	darf
du	darfst
er/es/sie	darf
wir	dürfen
ihr	dürft
sie/Sie	dürfen

Themenkreis

Mein Alltag zu Hause

Das lernst du:

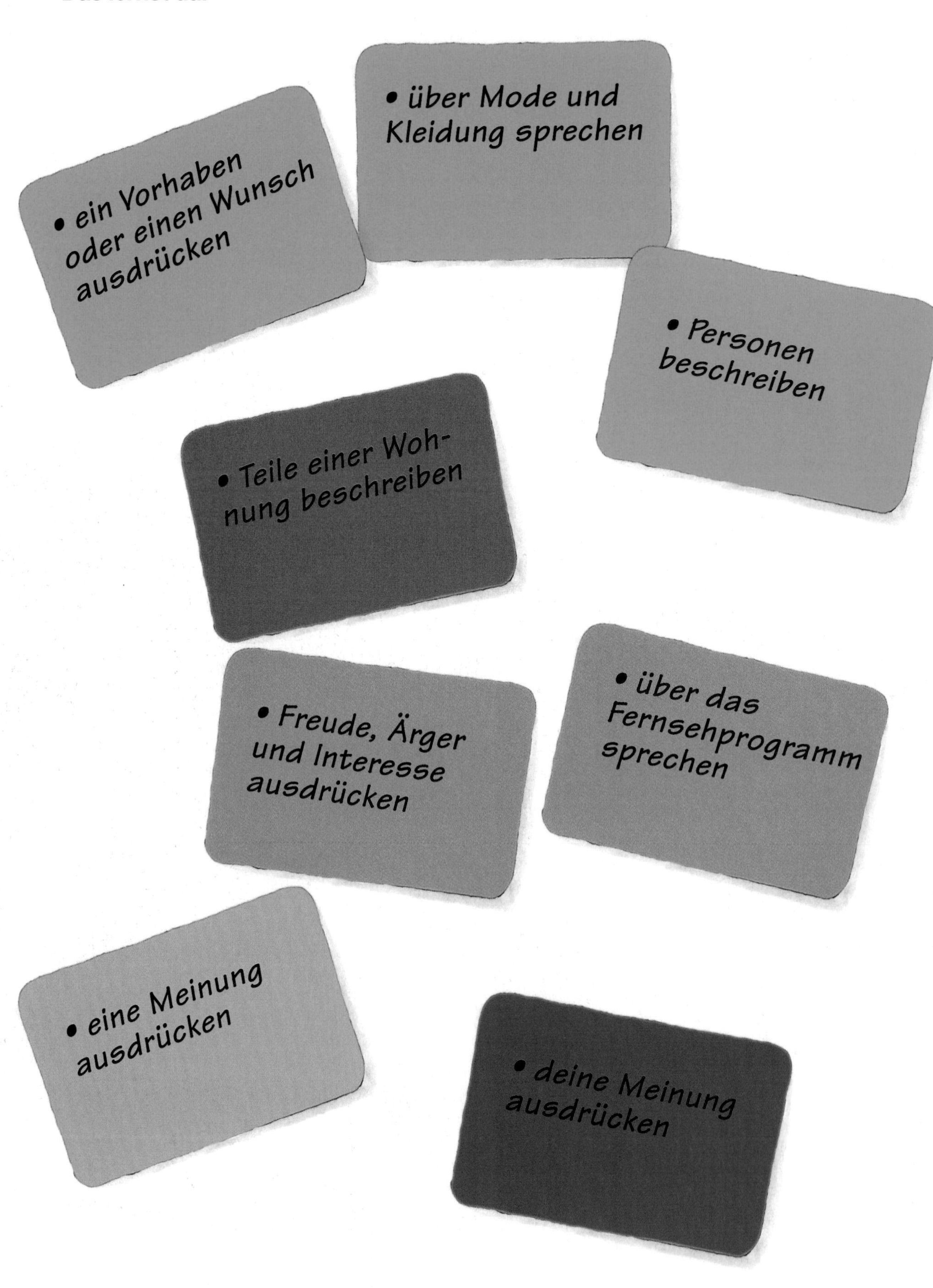

• ein Vorhaben oder einen Wunsch ausdrücken
• über Mode und Kleidung sprechen
• Personen beschreiben
• Teile einer Woh-nung beschreiben
• Freude, Ärger und Interesse ausdrücken
• über das Fernsehprogramm sprechen
• eine Meinung ausdrücken
• deine Meinung ausdrücken

Drei Freunde

5

 Was passt zu wem? Was meinst du? Nummer  passt zu Anja. …

A So sind wir!

1. Wir stellen uns vor

A

„Hallo. Ich bin Anja, 16 Jahre. Mein Spitzname ist ‚Rotkäppchen', weil ich bisher immer so brav ausgesehen habe. Aber jetzt nicht mehr, oder?"

B

„Ich heiße Katrin. Ich bin erst 15. Leider! Denn ich gehe wahnsinnig gern in die Disco."

C

„Ich bin Tobias und werde bald 17 Jahre alt. Ich höre gern Musik, vor allem Hard Rock und so."

„Aber ich darf ja nie so lange wegbleiben. Meine Mutter sagt immer, ich soll um zehn Uhr zu Hause sein. Ich bin eben noch zu jung. So ein Mist!"

„Ich spiele Gitarre. Schon vor acht Jahren habe ich angefangen. Jetzt spiele ich schon ganz gut. Vielleicht werde ich mal Profimusiker. Mal sehen."

„Ich stricke gern. Diesen Pulli habe ich selbst gestrickt. Zwei Monate habe ich gebraucht. Aber er ist schön geworden, finde ich."

„Und sonst? Na ja, in der Schule bin ich nicht so gut. Aber das ist mir egal. Als Musiker brauche ich keine guten Noten."

„Ich mag Mozart und Beethoven. Ich gehe auch gern ins Theater und lese viel. Für Bücher gebe ich mein ganzes Taschengeld aus."

„Ich trage furchtbar gern schicke Klamotten. Mini mag ich besonders. Ich kaufe mir oft was Neues. Dafür spare ich mein ganzes Taschengeld."

Wer sagt was?

Anja

Katrin

  ?

Tobias

2. Ich will …

20

▲ Wo warst du denn so lange?
● Bei Florian.
▲ Was habt ihr denn den ganzen Nachmittag gemacht?
● Wir haben Gitarre gespielt.
Wir wollen eine Band gründen.

▲ Was wollt ihr?
Eine Band gründen?
Mach lieber deine Hausaufgaben.

▲ Eine Band gründen?
Das finde ich ja toll!

Macht weitere Dialoge.

Rock 'n' Roll üben / bei der Rock 'n' Roll-Meisterschaft mitmachen
Schach spielen / beim Schachturnier mitmachen
10 Kilometer laufen / beim Stadtmarathon mitmachen

Tipp
Sprich auf Cassette und kontrolliere dich selbst.

Grammatik

Wir	wollen	eine Rockband	gründen.
Ich	will	bei der Meisterschaft	mitmachen.
Ich	will	aber nicht	spazieren gehen.
Ich	will	jetzt aber lieber	fernsehen.

ich	will
du	willst
er/es/sie	will

wir	wollen
ihr	wollt
sie/Sie	wollen

3. Komm mit!

21

▲ Wir gehen ins Kino. Kommst du mit?
■ Nein, ich möchte fernsehen.
● Ach, sei doch nicht so! Komm doch mit!
■ Ich will aber lieber fernsehen. Jetzt kommt eine Modenschau.
● So ein Quatsch!
▲ Ach, lass sie doch. Komm, wir gehen.

Macht weitere Dialoge.

▲	■
joggen	ein Liebesfilm
Basketball spielen	eine Quizsendung
ins Café gehen	ein Western

4. Die neue Frisur (1. Teil)

Wer will sein Image ändern?

„Wer will sein Image ändern?" –
Das war das Motto unseres Wettbewerbs in Heft 43. Viele junge Leute, vor allem Mädchen, haben uns geschrieben. Einige waren auch schon bei uns.
Unter den geschickten Händen unserer Spezialisten hat sich ihr Aussehen bereits verändert.

In den nächsten zehn Heften stellen wir euch immer eine Person vor. Schreibt uns, welches Mädchen / welcher Junge euch nach unserer „Behandlung" am besten gefällt. Wer die meisten Stimmen bekommt, ist Sieger und gewinnt ein Wochenende in Paris.
Ach übrigens: Ihr könnt immer noch teilnehmen. Vor allem Jungen fehlen uns noch.

Schickt eure Bewerbung an:

Top-Magazin
Jugend-Redaktion
50674 Köln
Postfach

Wir stellen heute vor:
Anja T. aus K. Anja hatte Probleme mit ihren Haaren; sie sind von Natur aus rot wie eine Tomate. Deshalb haben sie alle „Rotkäppchen" genannt. (Anja mag diesen Spitznamen natürlich nicht. Sie kommt sich dann immer so furchtbar klein und brav vor.)

Unser Friseur hat ihr Haar blond gefärbt. Das sieht doch toll aus, oder? Die schwarze Strähne und der kurze Disco-Haarschnitt machen die Frisur noch interessanter. Wir meinen: Jetzt sieht Anja gar nicht mehr brav und langweilig aus.
Wir haben Anja gefragt, wie sie ihr neues Aussehen findet. Hier ist ihre Antwort: „Na ja, im ersten Moment war ich schon ein bisschen geschockt. Ich habe in den Spiegel geschaut und gedacht: Das kann ich doch gar nicht sein. Aber jetzt finde ich die Frisur super."

a) Welche Aussage ist richtig? a, b oder c?

1. Das Top-Magazin
   - a macht einen Wettbewerb.
   - b verändert sein Image.
   - c hat ein Motto.

2. Die Teilnehmer wollen
   - a besser schreiben.
   - b in Paris wohnen.
   - c anders aussehen.

3. Die Spezialisten sind
   - a Reporter.
   - b Friseure.
   - c Teilnehmer.

4. Sieger ist,
   - a wer in Paris wohnt.
   - b wer am Wochenende schreibt.
   - c wer die meisten Leserstimmen hat.

5. Alle haben Anja „Rotkäppchen" genannt,
   - a weil ihre Tomate rot war.
   - b weil ihr Haar rot war.
   - c weil ihr Käppchen rot war.

6. Anja mag die neue Frisur
   - a von Anfang an.
   - b jetzt gern.
   - c überhaupt nicht.

b) Wie hat sich Anja für den Wettbewerb beworben? Schreib ihre Bewerbung an das Top-Magazin.

Liebes Top-Magazin, ich möchte an dem Wettbewerb ...

c) Möchtest auch du an dem Wettbewerb teilnehmen? Schreib die Bewerbung. Schreib, wie du jetzt aussiehst und wie du nachher aussehen möchtest.

5. Wie bitte?

22

▲ Tobi, Tobi, mach doch die Musik leiser!
● Wie bitte?
▲ Du sollst die Musik leiser machen.
Ich muss Hausaufgaben machen.

● Ach so!
Entschuldige.

● Na und?

Macht weitere Dialoge.

nicht so laut Gitarre spielen / Mathe lernen
den Fernseher leiser machen / Latein üben
nicht so laut singen / ein Referat schreiben

6. Meine Schwester!

23

▲ Anja, was machst du denn da?
● Das siehst du doch.
Ich stricke.
▲ Mama hat aber gesagt, du sollst das
Geschirr spülen.

● Ach, lass mich doch in
Ruhe, du Nervensäge!

● Ich weiß.
Das mache ich später.

Macht weitere Dialoge.

lesen
fernsehen
Musik hören

Hausaufgaben machen
das Zimmer aufräumen
Englisch lernen

Grammatik

ich	soll
du	sollst
er/es/sie	soll
wir	sollen
ihr	sollt
sie/Sie	sollen

a) ● Mach bitte die Musik leiser!
▲ Wie bitte?
● Du sollst die Musik leiser machen.

Hier: Wiederholen einer Aufforderung

b)

„Anja muss heute spülen."

„Mutter hat gesagt, du sollst heute spülen."

Hier: Wiederholen, was eine andere Person gesagt hat.

7. Mami schreibt einen Zettel

Hallo, Kinder, ich bin in die Stadt gefahren und komme um sieben Uhr zurück. Macht erst eure Hausaufgaben und räumt dann bitte eure Zimmer auf. Du, Miriam, üb dann Klavier. Und du, Anja, geh bitte einkaufen. Die Liste liegt auf dem Tisch.

Bis später, Mami

a) Anja liest den Zettel. Was sagt sie zu Miriam?
Hast du gelesen? Wir sollen ... Du ...
Und ich ...
b) Was sollen Anja und Miriam machen?

8. Hausarbeit

Hör zu.

Was ist richtig? (r) Was ist falsch? (f)

a) Tobias kommt zu Katrin zum Abendessen.
b) Das Essen ist fertig.
c) Katrin und Tobias machen nachher Hausaufgaben.
d) Tobias spült zu Hause das Geschirr immer allein.
e) Tobias macht Hausarbeit. Das findet Katrin doof, weil er ein Junge ist.
f) Katrin spült auch immer das Geschirr.

Hausarbeit auch für Jungen?
Was ist deine Meinung?

B Geschmacksache

1. Haare, Haare

▲ Welche Frisur gefällt dir?
● Nummer ▒. Die ist ▒.

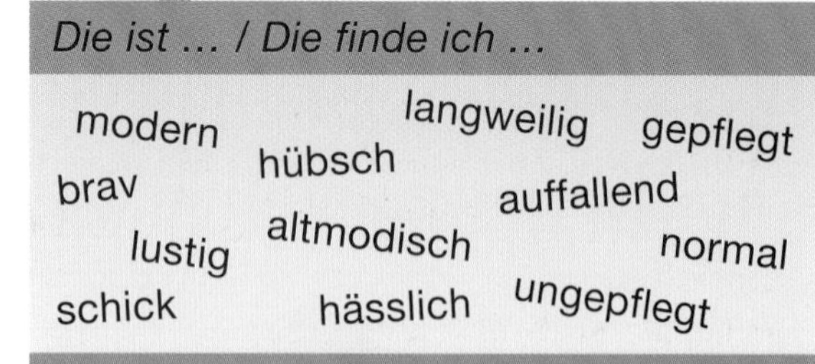

Die ist … / Die finde ich …
modern
langweilig
gepflegt
hübsch
brav
auffallend
lustig
altmodisch
normal
schick
hässlich
ungepflegt
Ach, die Haare sind zu …

▲ Gefallen dir die Frisuren?
● Also, Nummer ▒ gefällt mir überhaupt nicht.
▲ Warum denn nicht?

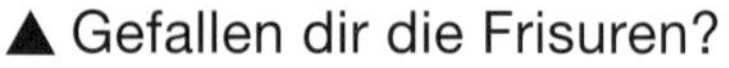

● Die finde ich ▒. ● Ach, die Haare sind zu ▒.

2. Die neue Frisur (2. Teil)

1 25

Hör zu.
Beantworte die Fragen.

a) Wie findet der Vater die neue Frisur?
b) Welches Argument bringt Anja vor?
c) Was soll Anja machen?
d) Wie findet die Mutter die neue Frisur?
e) Warum ist der Vater am Ende so böse?
f) Wie gefällt dir Anjas Frisur?

3. Meinungen

„Ich verstehe Katrin nicht. Eigentlich ist sie ganz nett. Aber sie ist immer total verrückt angezogen. Und sie gibt so viel Geld für Klamotten aus. Es gibt doch wirklich wichtigere Dinge auf der Welt. Aber ich glaube, Tobias findet das ganz schick. Ihm gefällt so was."

„Was ist nur mit Anja los? Bisher war sie doch ganz normal. Manchmal zu brav, meiner Meinung nach. Aber jetzt hat sie diese neue Frisur. Die steht ihr doch gar nicht. Na ja, jetzt will sie auf einmal ganz anders sein. Aber sie bleibt doch unser ‚Rotkäppchen'. Ich glaube, das sagt auch Tobias."

„Also, die Mädchen! Ich verstehe gar nichts mehr. Katrin war ja immer schon ein bisschen verrückt. Aber jetzt fängt auch noch Anja an! Die Frisur gefällt mir ja ganz gut. Aber irgendwie steht die ihr nicht. Sie ist einfach nicht der Typ dafür."

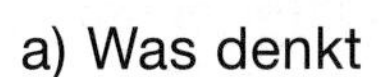

a) Was denkt

Anja über Katrin und Tobias?
Katrin über Anja und Tobias?
Tobias über Anja und Katrin?

Sprich so:
Anja denkt, Katrin ist …

b) Was ist deine Meinung?

Grammatik

Dativ

Die Frisur gefällt Die Leute gefallen	mir. dir. ihm. ihr. Tobias. meinem Freund. meiner Tante.	*(= Ich finde die Frisur gut.)*

Wem gefällt die Frisur? Mir.
Dir.
…

4. Mein Tagebuch

Montag, 31. ....

Liebes Tagebuch, heute habe ich ihn wieder gesehen, in der Pause. Er sieht ja so süß aus! Er hat (a) sogar zugelächelt! Aber dann ist er zu Christina gegangen und hat mit (b) gesprochen und hat (c) die Tasche getragen. Sie gefällt (d) bestimmt.
Aber ich möchte (e) doch auch gefallen. Aber wie? Vielleicht gefällt (f) meine Frisur nicht. Oder meine Nase ist (g) zu groß.
Liebes Tagebuch, das sage ich nur (h): Ich mag ihn. Was soll ich nur machen?

Setze ein:
mir 1
dir 2
ihm 3
ihr 4

Rechenrätsel:
a + b + c - d +
e + f - g - h = 7

5. Wem gehört ...?

1 26

▲ Wem gehört denn der Trainingsanzug?
● Mir. Gefällt er dir?

▲ Ja, der ist super. ▲ Ehrlich gesagt, nicht so gut.

Macht weitere Dialoge.

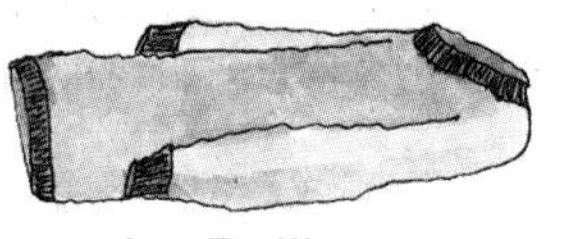
der Pulli

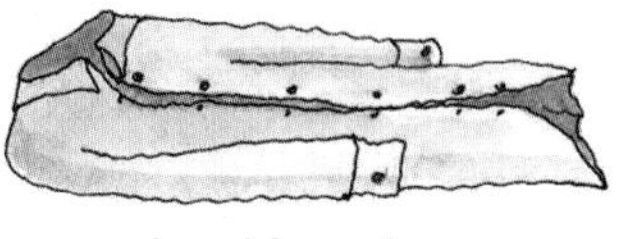
das Hemd

die Hose

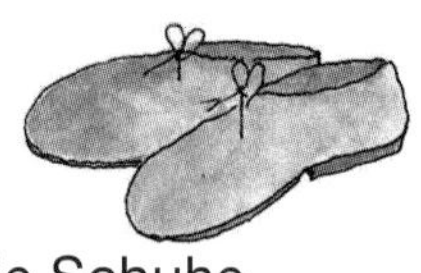
die Schuhe
(⚠gehören)

6. Klamotten oder ...?

1 27

▲ Wem gehört denn die Lederjacke?
● Mir. Toll, oder? Die habe ich von meinem Taschengeld gekauft.
▲ Die war doch bestimmt nicht billig, oder?
● Stimmt! Ich hab aber auch ziemlich lange gespart.
▲ Also, ich weiß nicht. So viel Geld für Klamotten. Mein Geld ist immer gleich weg für Bücher.

Macht weitere Dialoge.

der Trainingsanzug / Cassetten
der Pulli / Konzertkarten
das Hemd / Zeitschriften
die Hose / CDs

7. Mail-Partner gesucht

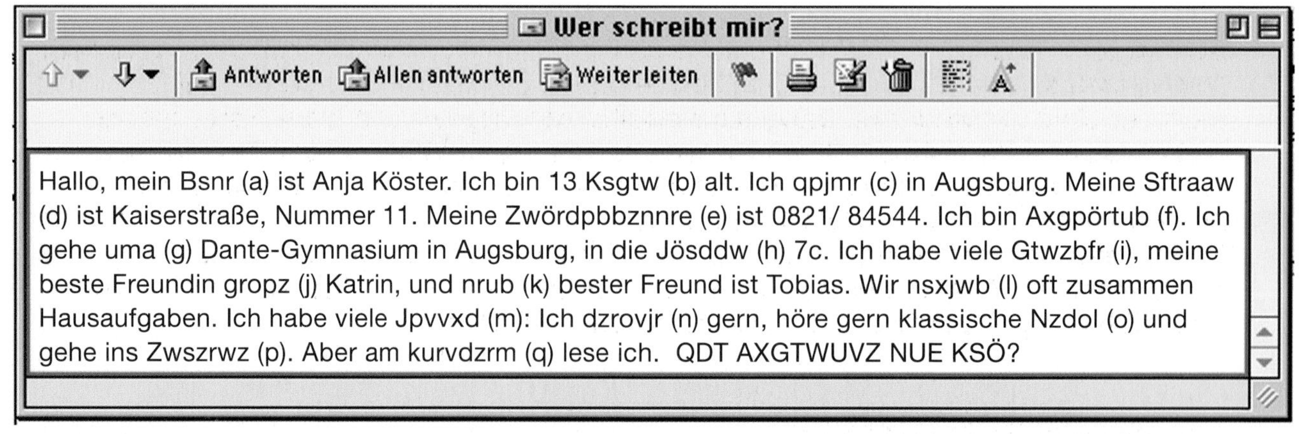

Hallo, mein Bsnr (a) ist Anja Köster. Ich bin 13 Ksgtw (b) alt. Ich qpjmr (c) in Augsburg. Meine Sftraaw (d) ist Kaiserstraße, Nummer 11. Meine Zwördpbbznnre (e) ist 0821/ 84544. Ich bin Axgpörtub (f). Ich gehe uma (g) Dante-Gymnasium in Augsburg, in die Jösddw (h) 7c. Ich habe viele Gtwzbfr (i), meine beste Freundin gropz (j) Katrin, und nrub (k) bester Freund ist Tobias. Wir nsxjwb (l) oft zusammen Hausaufgaben. Ich habe viele Jpvvxd (m): Ich dzrovjr (n) gern, höre gern klassische Nzdol (o) und gehe ins Zwszrwz (p). Aber am kurvdzrm (q) lese ich. QDT AXGTWUVZ NUE KSÖ?

a) Anja macht am Computer noch viele Fehler. Ersetze die Fehler mit diesen Wörtern:
mein (T) – wohne (R) – liebsten (L) – Name (W) – Hobbys (I) – Klasse (E) – heißt (B) – Musik (M) – Adresse (S) – Schülerin (H) – Jahre (E) – Freunde (I) – Telefonnummer (C) – ins (R) – machen (M) – stricke (R) – Theater (A)

Lösungssatz:

?	?	?	?	?	?	?	?	?	?	?	?	?	?	?	?	?
a	b	c	d	e	f	g	h	i	j	k	l	m	n	o	p	q

b) Schreib eine E-Mail. Stell dich vor: Hallo, ich heiße / mein Name ist ...

Na so was!

Witze

Die Freundinnen sitzen im Eiscafé und reden über die anderen. „Also, über Maria kann man nur Gutes sagen“, meint Anne. „Dann reden wir lieber über jemand anderen“, sagt Heike.

„Ist das nicht gemein?“, schimpft Roland. „Stefan hat zu mir ‘alter Idiot’ gesagt.“ „Na so was!“, meint seine Schwester. „Du bist doch noch gar nicht so alt.“

„Hast du Tom gesagt, dass ich blöd bin?“ – „Nein, das hat er schon vorher gewusst.“

„Wir spielen in der Schule das Märchenstück ‘Die Schöne und das Monster’. Ich habe die Hauptrolle“, erzählt Jutta auf dem Sportplatz. „So? Das ist ja interessant. Und wer spielt die Schöne?“, fragt ein Junge.

Hanna und Stefan waren den ganzen Tag zusammen. Plötzlich meint Stefan: „Jetzt haben wir die ganze Zeit nur von mir geredet. Nun wird es aber Zeit, dass du mal drankommst! Sag, wie gefällt dir mein neues Hemd?“

Lesen

Lesen

So gefällt es uns!

Seit wenigen Tagen hat Jessica rote Haare. In ihrer Familie gibt es nun heiße Diskussionen. „Meine Mutter findet es süß. Die Oma bekam fast einen Herzinfarkt. Meine Schwester meint, es sieht furchtbar aus. Dabei hat sie selbst schon grüne und blaue Haare gehabt“, erzählt Jessica. Bunte Haarfarben kann man in vielen Geschäften kaufen. Trotzdem haben nur wenige Mut dazu. Jessica hat die roten Haare zuerst bei einem Freund gesehen. In den Ferien hat sie es dann selbst ausprobiert.
Ihre Freundin Caro braucht für ihre Frisur eine Bürste, einen Föhn, etwas Zeit und mindestens eine Dose Haarlack. Aber diese Frisur trägt sie nur auf Partys. In der Schule trägt sie ihr langes schwarzes Haar meistens glatt und offen.

Was ist richtig? Was ist falsch?

1. Jessicas Familie findet rote Haare toll.
2. Jessicas Schwester hat auch manchmal bunte Haare.
3. Jessica hat die rote Haarfarbe zuerst in einem Geschäft gesehen.
4. Caro braucht für ihre neue Frisur mindestens drei Dosen Haarlack.
5. Caro trägt ihre neue Frisur nicht in der Schule.

Lernwortschatz

Wortschatz

Personen beschreiben

modern – altmodisch
hübsch – hässlich
gepflegt – ungepflegt
brav
schick
normal

über Mode/Frisuren ... sprechen:

■ Gefällt dir die Frisur?

▲ Die gefällt mir überhaupt nicht. | Die gefällt mir sehr gut.

■ Warum denn nicht?

▲ Die finde ich hässlich/langweilig ...

ein Vorhaben oder einen Wunsch ausdrücken:

Ich will beim Stadtmarathon mitmachen.
Ich will aber lieber fernsehen.

Grammatik

Grammatik

1. Verb

a) Modalverb wollen

ich	will
du	willst
er/es/sie	will

wir	wollen
ihr	wollt
sie/Sie	wollen

b) Modalverb sollen

ich	soll
du	sollst
er/es/sie	soll

wir	sollen
ihr	sollt
sie/Sie	sollen

2. Dativ

a) Personalpronomen (Singular)

Ich mag Leder.	Lederjacken gefallen mir.
Du magst Leder.	Lederjacken gefallen dir.
Er/Es mag Leder.	Lederjacken gefallen ihm.
Sie mag Leder.	Lederjacken gefallen ihr.

b) Fragepronomen

Wem gehört die Jacke? Mir.
Meinem Bruder.
Katrin.
...

Bei uns zu Hause

6

Schau die Bilder an.
Wo möchtest du gern wohnen, wo nicht?
Sehen die Häuser bei euch auch so aus?
Wie sieht dein Traumhaus aus?

6A

A Wohnen

1. Jugendzimmer

Schau die Zimmer an. Welches Zimmer gefällt dir am besten? Und warum?

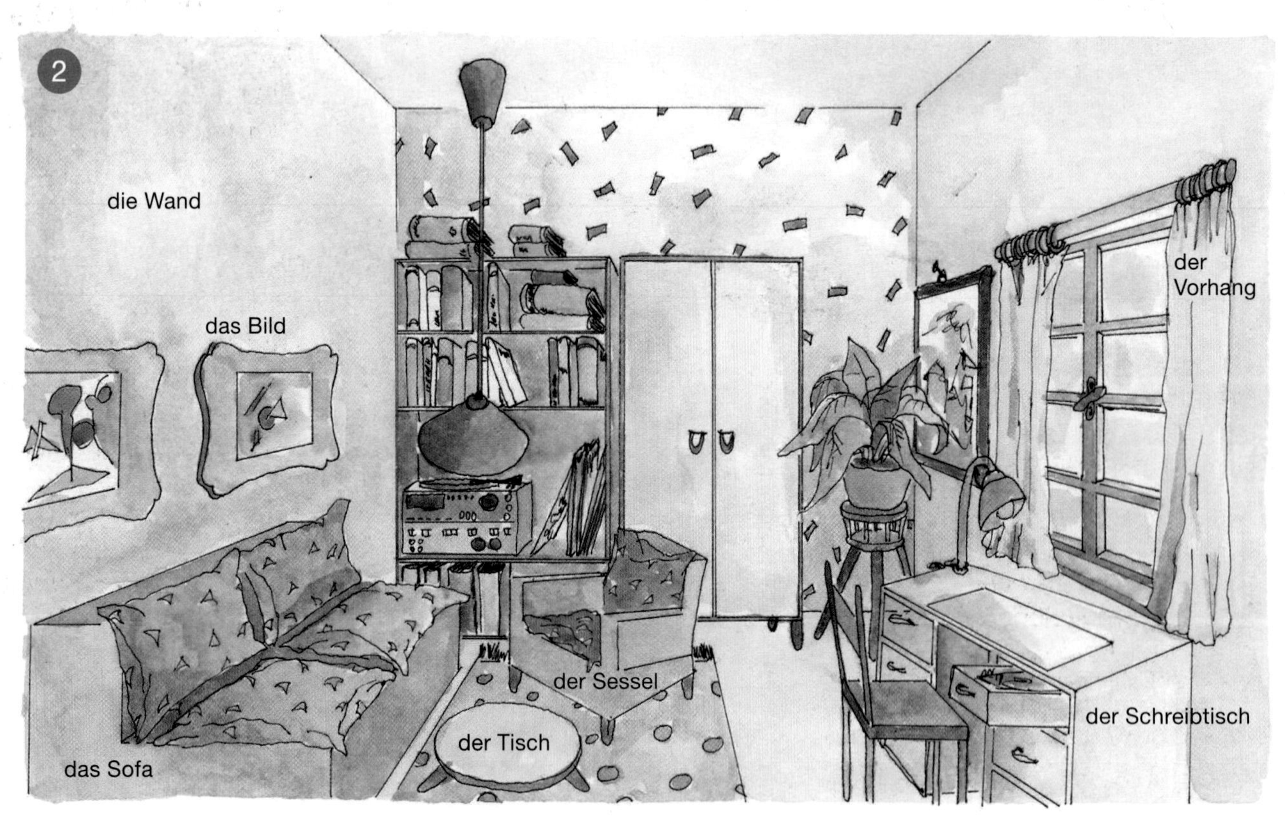

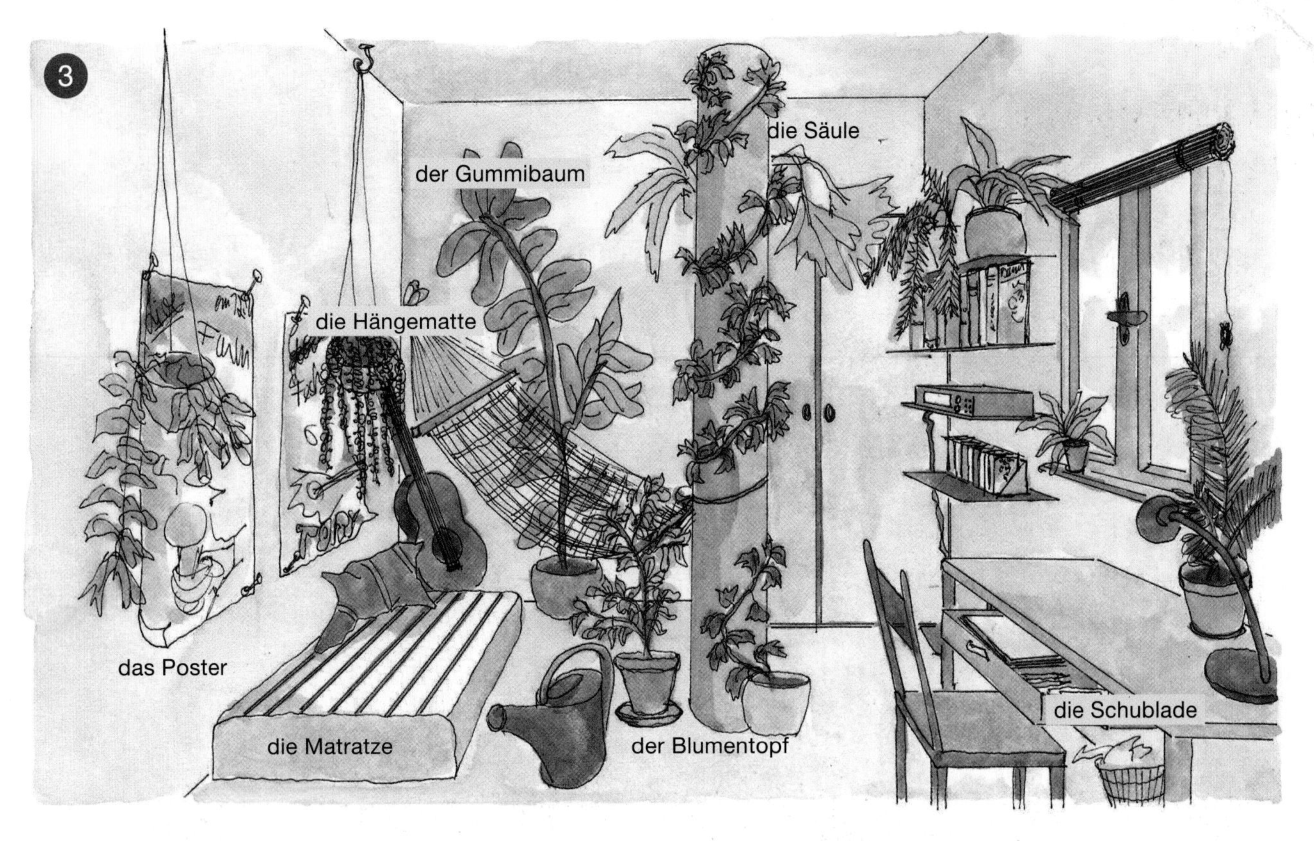

der	das	die
Schrank	Sofa	Schublade
Schreibtisch	Regal	Matratze
Stuhl	Bett	Hängematte
Tisch	Bild	Lampe
Sessel	Poster	Wand
Teppich	Fenster	Säule
Vorhang	Rollo	
Blumentopf		

Tipp
Mach zu Hause Zettel an die Gegenstände, die du schon benennen kannst. Du kannst die Wörter dann besser behalten.

2. Möbel

Mach eine Liste mit den Wörtern oben. Was habt ihr in eurer Wohnung / eurem Haus / eurem Zimmer? (Kreuze an.)
Frag auch deinen Partner.

3. Unsere Zimmer

28

Anja, Katrin und Tobias beschreiben ihre Zimmer. Hör gut zu und schau die Zimmer an.
Wem gehört welches Zimmer?

Anja	Zimmer ?
Katrin	Zimmer ?
Tobias	Zimmer ?

4. Wo ist was?

Schau das dritte Zimmer genau an.
Lies und ordne zu.

1 Das Poster hängt
2 Die Lampe steht
3 Das Regal ist
4 Der Stuhl steht
5 Der Blumentopf steht
6 Das Fenster ist
7 Der Papierkorb steht
8 Der Cassettenrecorder steht

a auf dem Schreibtisch.
b unter dem Schreibtisch.
c an der Wand.
d neben der Säule.
e im Regal.
f vor dem Schreibtisch.
g über dem Schreibtisch.
h zwischen dem Schrank und dem Fenster.

1	2	3	4	5	6	7	8
c	?	?	?	?	?	?	?

5. Ratespiel

Alle schauen Anjas Zimmer eine Minute lang genau an und machen dann die Bücher zu. Nur einer hat das Buch offen und fragt:

„Wo ist/steht/hängt ...?“

Wer zuerst die richtige Antwort weiß, bekommt einen Punkt. Ihr könnt das Spiel auch in Gruppen spielen.

Grammatik

	Wo ist/steht/liegt/hängt ...?			
	auf dem Tisch	auf dem Sofa	auf der Matratze	auf den Betten
	unter meinem Stuhl	unter meinem Bett	unter meiner Hängematte	unter meinen Zeitungen
	über dem Tisch	über dem Bett	über der Hängematte	über den Büchern
	vor dem Schreibtisch	vor dem Fenster	vor der Tür	vor den Regalen
	hinter meinem Sessel	hinter meinem Bett	hinter meiner Tür	hinter meinen Büchern
	neben dem Schrank	neben dem Fenster	neben der Tür	neben den Blumen
	im (= in dem) Schrank	im (= in dem) Regal	in der Schublade	in den Regalen
	am (= an dem) Schreibtisch	am (= an dem) Fenster	an der Wand	an den Wänden
	zwischen dem Schrank und dem Stuhl	zwischen dem Fenster und dem Regal	zwischen der Tür und der Säule	zwischen den Zeitungen

6. Ich finde überhaupt nichts mehr!

Anjas Schwester ist ziemlich unordentlich.

Wo sind ihre Schulsachen?
Findest du sie? Suche acht Sachen.
Das Federmäppchen liegt ...

7. Wie möchtest du wohnen?

Stell dir vor, du kannst dir ein Zimmer einrichten, wie du möchtest.
Wie sieht es aus? Beschreibe es. Zum Beispiel: Ein Bett/Sofa steht ...

8. Wir reden in der Gruppe

Schreibt Fragekarten:

Schreibt auch eine große Karte:

zu Hause

Macht Gruppen. Legt die Fragekarten verdeckt auf den Tisch.
Einer zieht eine Karte und stellt eine Frage; ein anderer antwortet.

Beispiel:

Wo wohnst du?	– In ..., in der Hauptstraße, Nummer ...
Wie sieht dein Zimmer aus?	– Es ist klein.
Mit wem wohnst du zusammen?	– Mit meinen Eltern, meinem Bruder, meiner Schwester und ...
Wie oft räumst du dein Zimmer auf?	– Einmal in der Woche/Nie.
Was gibt es in deinem Zimmer?	– Ein Bett, einen Schreibtisch, ...
Wer darf in dein Zimmer gehen?	– Meine Eltern/Niemand/Nur meine Freunde.
Wann gehst du ins Bett?	– Um ... Uhr.

Ihr könnt auch noch andere Karten schreiben: Tagesablauf, Freizeit, ...
Einer zieht eine große Themenkarte und eine kleine Fragekarte und stellt eine Frage.
Ein anderer antwortet.

9. Hier wohnt eine Familie

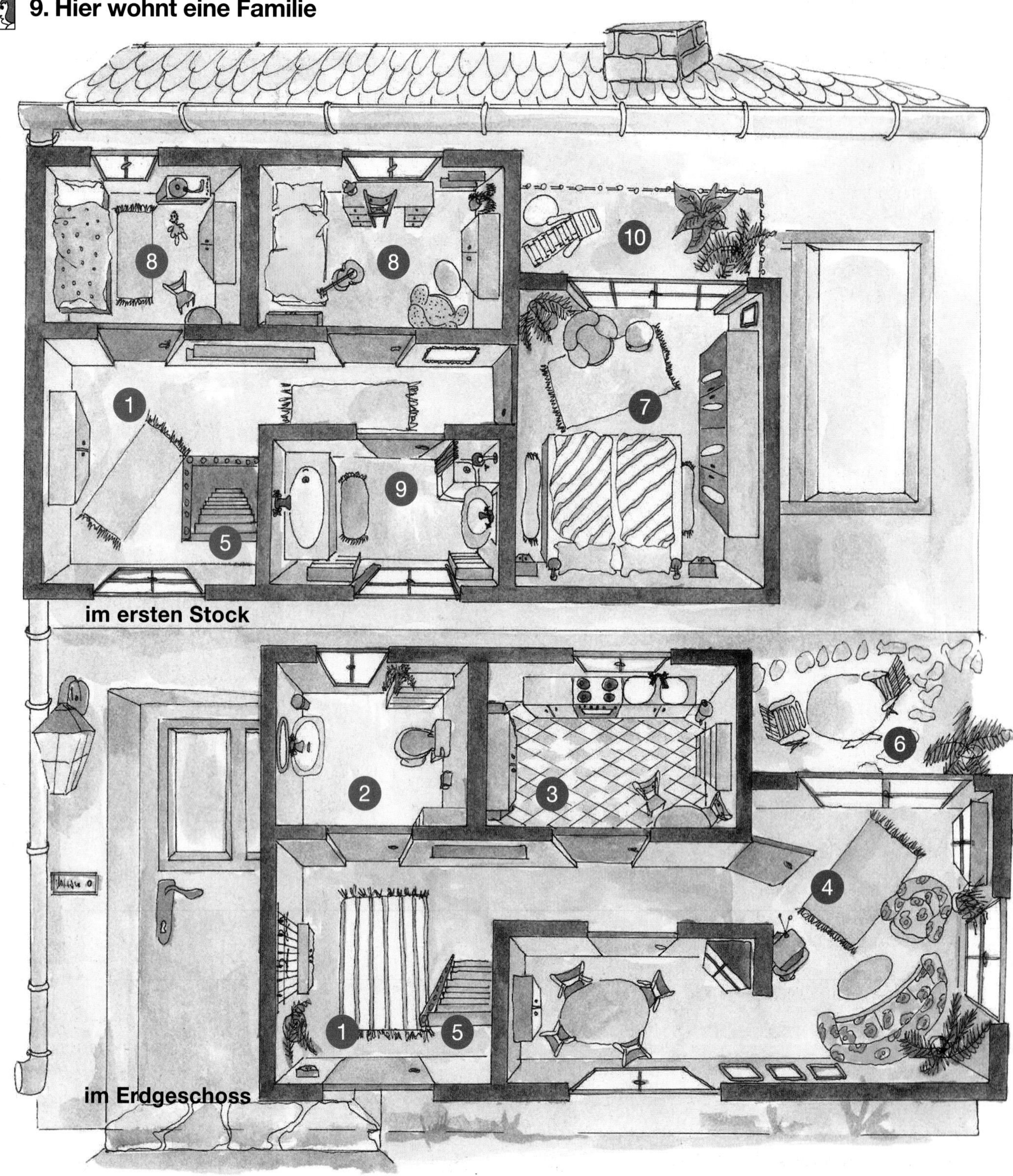

der | Flur
Balkon

die | Küche
Toilette
Treppe
Terrasse

das | Wohnzimmer
Schlafzimmer
Kinderzimmer
Bad(ezimmer)

Welches Zimmer ist Nummer ...?
Welcher Raum ist Nummer ...?
Was ist Nummer ...?

Welche Möbel stehen | im Flur?
im Wohnzimmer?
in der Küche?
...

B Familienfeste

1. Der „Geburtstagsmonat"

29

- ● He, Anja, was ist denn los?
- ▲ Ich werde noch verrückt! Dieser Monat ist furchtbar.
- ● Warum denn?
- ▲ Meine ganze Familie hat Geburtstag. Nur ich nicht. Mein Vater hat am 9. Geburtstag, meine Mutter am 10., meine Oma am 12., mein Opa am 16. und meine Schwester am 23. Und mein Freund auch noch! Am 28.
- ● Das ist doch Spitze! So viele Geburtstagspartys.
- ▲ Aber was das kostet! Mein Taschengeld ist ja jetzt schon fast weg. Kannst du mir vielleicht was leihen? Du bekommst es auch bestimmt zurück.
- ● Tut mir Leid. Ich bin selbst pleite.
- ▲ Na ja, fünf Euro habe ich ja noch. Aber das reicht doch nicht.
- ● Überleg doch mal! Es gibt doch auch billige Geschenke ...
- ▲ Ja schon, aber was?

Macht den Dialog weiter.

2. Geschenkideen

Schau zuerst die Personen an und bilde dann die Sätze unten.

Ich
nehme
schenke
gebe
kaufe
stricke
helfe
ihm
ihr
im Garten.
Handschuhe.
eine Cassette auf.
Nachhilfestunden in Mathe.
ein Kreuzworträtselheft.
ein Taschenbuch.

30

Nun hör zu. Suche dann das passende Bild und den richtigen Satz.
Du sprichst für Anja.

Beispiel:

Du hörst:
Mein Freund hört gern Musik.

Du sagst:
Ich nehme ihm eine Cassette auf.

Grammatik

Subjekt	Verb	Dativ-Objekt	Akkusativ-Objekt	
Mit Dativ und Akkusativ				
Er	schenkt	mir	ein Taschenbuch.	
Ich	gebe	dir	meine Adresse.	
Ich	leihe	ihm	kein Geld.	
*Mit (Dativ und) Akkusativ**				
Sie	kauft	(ihr)	eine Zeitung.	
Sie	strickt	(ihrer Oma)	Handschuhe.	
Er	nimmt	(seinem Freund)	eine Cassette	auf.
Mit Dativ				
Ich	helfe	Steffi/ihr		in Mathe.

* Dativ kann auch entfallen.

3. Anjas Geschenke

Welche Geburtstagsgeschenke macht Anja?
Sie schenkt ihrer Mutter ...

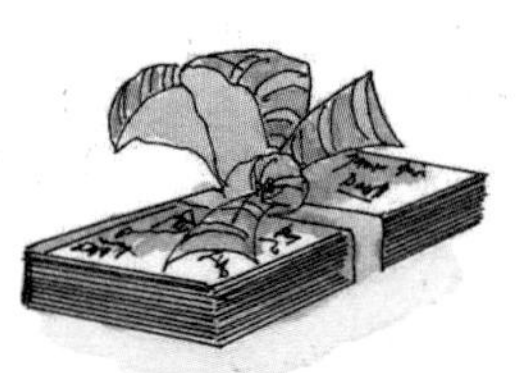

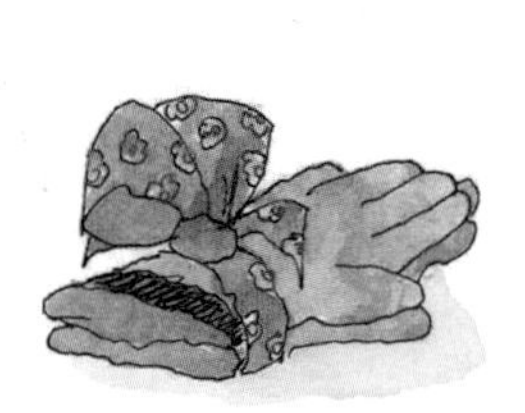

4. Geburtstag in Tobias' Familie

Auch in Tobias' Familie haben drei im gleichen Monat Geburtstag.

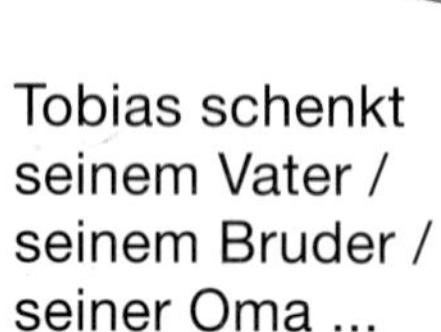

Tobias schenkt seinem Vater / seinem Bruder / seiner Oma ...

5. Einladung

EINLADUNG

Lieber Gsbd-Orzrw
Am Dsnwzyh, dem 17. Nöth, mache ich eine Hwvztrdüsezx.
Dazu möchte ich dich herzlich rubksfrm.
Wir gsmhrb um drei Igt an und machen
etwa zm acht Uhr Schluss.
Kannst du lijjrm? Ruf vzrrw bald an!
Deine Claudia

a) Ersetze die Fehler mit diesen Wörtern:
Geburtstagsparty (N) – Uhr (E) – Samstag (H) – einladen (S) – bitte (R) – März (A) – fangen (P) – um (T) – kommen (E)

Schreib die Buchstaben in Klammern ( ) der Reihe nach auf.
Dann weißt du, wen Claudia einlädt.

?	?	?	?	-	?	?	?	?	?

b) Schreib eine Einladungskarte für | eine Grillparty an einem Sonntag im Juli. | ein Schulfest an einem Wochentag.

Auch die Eltern einladen!

Na so was!

Ich schenke meiner Oma

eine Heavy-Metal-CD.

Spiel: Schwarzer Peter

Vorbereitung:
Macht Spielkarten. Immer zwei Karten bilden ein Paar, zum Beispiel: Zeichnet auf beide Karten das Geschenk.
Macht mindestens 10 Paare. Überlegt, wem ihr was schenken wollt. Es kann ruhig verrückt sein.

Beispiel:
Wir schenken unserem Lehrer Ohrenschützer. 

Dazu kommt der Schwarze Peter. Für ihn gibt es kein Paar.

So geht das Spiel:
Immer vier bis fünf Spieler spielen zusammen. Man teilt die Karten aus. Wer ein Paar hat, legt es auf den Tisch und liest vor. Die anderen kontrollieren. Man zieht reihum eine Karte von seinem rechten Mitspieler. Wer ein Paar bekommt, legt es auf den Tisch und liest vor. Wer hat am Schluss den Schwarzen Peter?

Lesen

A Viele deutsche Kinder möchten am liebsten nicht zu Hause leben. Das hat die Umfrage einer Elternzeitschrift unter Acht- bis Sechzehnjährigen ergeben. Nur 30 % leben am liebsten zu Hause bei Vater und Mutter. Die meisten möchten auf einer Insel, auf einem Schiff, auf einem Leuchtturm, im Zirkus, in einer Berghütte, in einer Höhle, in einem Zelt oder als Eskimo in einem Iglu wohnen.

B Rund 300 000 Kinder in Deutschland haben nach Angaben der Unicef kein Zuhause bei ihren Eltern. Sie wohnen bei Verwandten, bei Onkel, Tante, Oma oder Opa. Oder sie haben gar kein Zuhause und schlafen in Obdachlosenunterkünften und verschiedenen Heimen.

C Das Iglu-Dorf Surrein ist wohl das kälteste Jugend-Hotel der Schweiz. Hier muss jeder Gast sein Zimmer selbst aus Schnee bauen. Dabei hilft ihm der Iglu-Baumeister Roland. Zum Bauen braucht man vier bis fünf Stunden. Wenn das Iglu fertig ist, kann man endlich schlafen gehen. Die Temperaturen sinken draußen auf –15° C. Im Iglu steigt die Temperatur bis auf 5° C.
Natürlich gibt es kein Bett, sondern eine Isomatte, einen dicken Schlafsack und eine Wärmflasche.

Welche Überschrift passt?

1. Schlafen wie die Eskimos
2. Kinder ohne Zuhause
3. Am liebsten nicht zu Hause wohnen

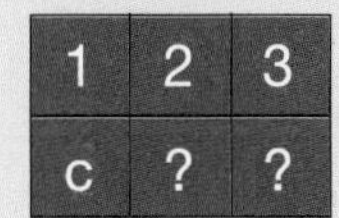

1	2	3
c	?	?

Antworte auf die Fragen.

a) Wie viele Kinder leben gern zu Hause?
b) Manche Kinder wohnen nicht gern zu Hause. Wo möchten sie lieber wohnen?
c) 300 000 deutsche Kinder wohnen nicht bei Ihren Eltern. Wo schlafen sie?
d) Wo liegt das Iglu-Dorf Surrein?
e) Wie kalt ist es im Iglu?

Lernwortschatz

Wortschatz

die Wohnung:

erster/zweiter/ ... Stock
Erdgeschoss

der Flur
der Balkon
die Treppe
die Küche
das Wohnzimmer
das Schlafzimmer
das Kinderzimmer
das Bad(ezimmer)
die Toilette

das Zimmer:

der Schrank
der Schreibtisch
der Tisch
der Sessel
der Teppich
der Vorhang

das Sofa
das Regal
das Bett
das Bild
das Poster
das Fenster

die Schublade
die Matratze
die Lampe
die Wand

Grammatik

Grammatik

1. Präpositionen (Ort) + Dativ

Singular						Plural	
Maskulinum		Neutrum		Femininum			
auf dem	Tisch	vor dem	Fenster	in der	Schublade	in den	Regalen
unter dem	Stuhl	hinter dem	Regal	an der	Wand	an den	Wänden
über dem	Schrank	neben dem	Sofa	zwischen der	Tür und der Säule	auf den	Betten

2. Satz

Subjekt	Verb	Dativ-Objekt	Akkusativ-Objekt	Zeit/Ort	Verbzusatz
Ich	gebe	dir	das Geld	morgen	zurück.
Er	nimmt	ihm	eine Cassette		auf.
Sie	hilft	mir		im Garten.	

Immer mit Dativ und Akkusativ: geben, leihen, schenken ...
Dativ kann sein (muss aber nicht): aufnehmen, stricken, kaufen ...
Nur mit Dativ (ohne Akkusativ): helfen ...

Fernsehen – gern sehen?

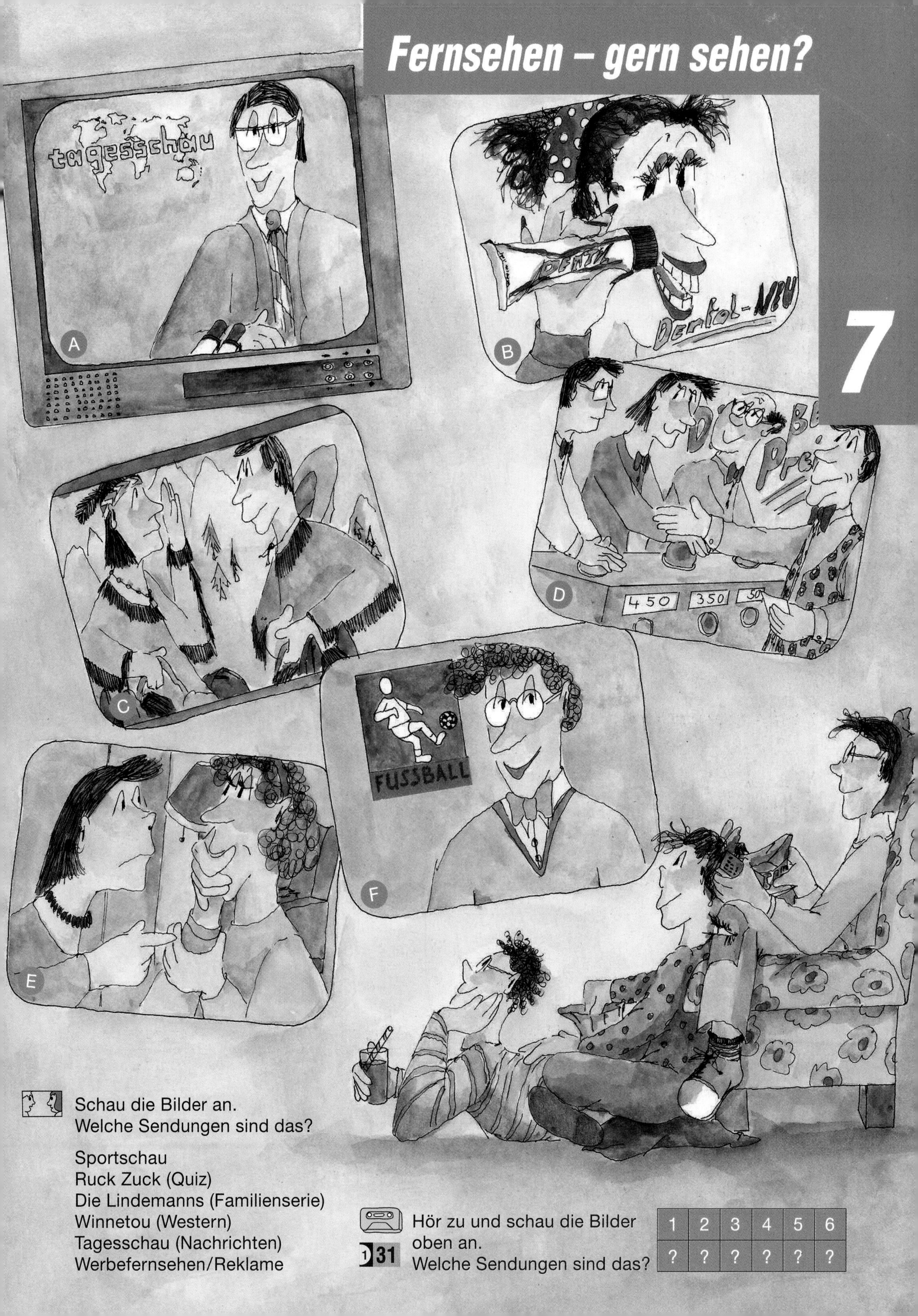

Schau die Bilder an.
Welche Sendungen sind das?

Sportschau
Ruck Zuck (Quiz)
Die Lindemanns (Familienserie)
Winnetou (Western)
Tagesschau (Nachrichten)
Werbefernsehen/Reklame

1 31

Hör zu und schau die Bilder oben an.
Welche Sendungen sind das?

1	2	3	4	5	6
?	?	?	?	?	?

A Fernsehen – Vergnügen oder Sucht?

1. Psychotest

Was für ein Fernsehtyp bist du?

Beantworte die Fragen. Nur eine Antwort ist möglich.
Zähle die Punkte zusammen. Das Ergebnis findest du am Ende des Tests.

a) Wie viele Stunden am Tag siehst du fern?

Antwort	Punkte
Fast gar nicht.	1
Etwa eine Stunde.	2
Ein bis zwei Stunden.	3
Mehr als zwei Stunden.	4

b) Welche Sendungen siehst du am liebsten?

Antwort	Punkte
Nachrichten, politische Sendungen, Kulturmagazine.	1
Sport und Abenteuer.	2
Shows, Quiz- und Jugendsendungen.	3
Spielfilme und Serien.	4

c) Schau die Szene an. Was sagt der Cowboy ohne Pistole?

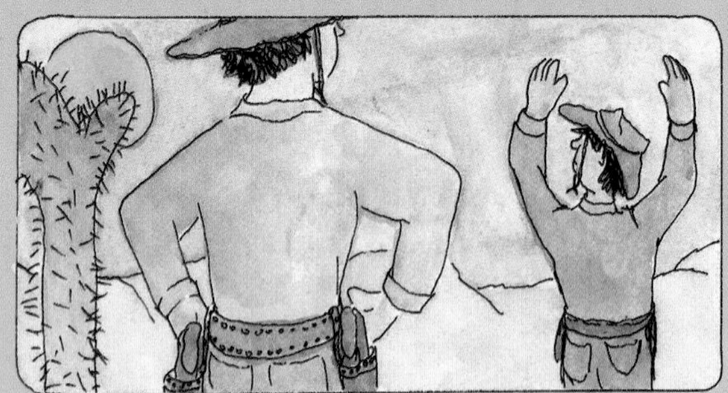

Antwort	Punkte
Langsam, ruhig! Reg dich nicht auf!	1
Wir müssen uns beeilen, sonst kommen wir zu spät zum Wettschießen!	2
Ich glaube, ich muss mich noch duschen und umziehen.	3
Hallo! Schön, dass wir uns wieder mal treffen.	4

d) Was sagt der Quiz-Kandidat auf die Frage: „Wie viele Leute fahren in den Alpen Schi?“

Antwort	Punkte
Tut mir Leid, das weiß ich nicht.	1
10 000? Oder sind es 20 000?	2
Das ist doch nicht so wichtig!	3
Im Sommer oder im Winter?	4

e) Was sagt der Reporter?

Antwort	Punkte
Es steht jetzt 2 zu 0.	1
Ich glaube, die bessere Mannschaft gewinnt.	2
Der Torwart ist wirklich eine Flasche.	3
Tor! Tor! Super!	4

f) Welche Sendung kündigt die Ansagerin an?

Antwort	Punkte
Eine Komödie.	1
Einen Liebesfilm.	2
Einen Krimi.	3
Nachrichten.	4

g) Was isst und trinkst du beim Fernsehen?

Antwort	Punkte
Gar nichts. Ich kaue an meinen Fingernägeln.	1
Gar nichts. Ich sehe so viel fern. Da muss ich Diät machen.	2
Kartoffelchips, Popcorn, Limonade, alles!	3
Was gerade zur Sendung passt: Zum Beispiel dunkle Schokolade bei einer traurigen Sendung oder ein Vitamingetränk bei einer Sportsendung.	4

Auflösung „Was für ein Fernsehtyp bist du?"

7–12 Punkte
Du bist kein langweiliger Typ. Du brauchst das Fernsehen nicht als Unterhaltung. Dich interessieren nur Informationen. Für deine Freizeit hast du selbst genug Ideen.

13–17 Punkte
Du bist der ganz normale Typ. Wenn du Lust hast, siehst du fern. Aber du ärgerst dich nicht grün und blau, wenn der Fernseher mal kaputt ist.

18–23 Punkte
Du bist schon ein kleiner Fernsehfan. Du kannst dich die ganze Woche auf eine Sendung freuen. Aber wenn du sie dann nicht sehen kannst, wirst du ganz schön sauer.

24–28 Punkte
Du bist der totale Fernsehtyp. Du lebst richtig mit den Personen in den Sendungen mit. Manchmal hast du aber mehr Fantasie als die Fernsehmacher.

2. Eine Katastrophe!

32

● So ein Mist!
Das darf doch nicht wahr sein!
▲ Was ist denn los?
● Der Fernseher ist kaputt.
Und gerade heute kommt doch ein toller Krimi.
▲ Ach, reg dich doch nicht so auf.
● Ich reg mich ja gar nicht auf.
Ich ärgere mich nur furchtbar!
▲ Komm, beruhige dich doch wieder.
● Was machen wir denn jetzt den ganzen Abend?

▲ Vielleicht kann man den Fernseher ja heute noch reparieren lassen.

▲ Na, hör mal!
Wir können doch mal einen Abend ohne Fernseher sein.

Macht weitere Dialoge.

der	Western Liebesfilm	das	Quiz Rockkonzert	die	Komödie Musiksendung	die	Filme Sendungen

Tipp
Wenn du Verben mit Gestik verbindest, kannst du sie besser behalten.

Grammatik

ich	ärgere	mich
du	ärgerst	dich
er/es/sie	ärgert	sich
wir	ärgern	uns
ihr	ärgert	euch
sie/Sie	ärgern	sich

Ebenso:

sich freuen, sich treffen mit, sich duschen, sich beruhigen, sich beeilen, sich setzen,
⚠ sich umziehen (Ich ziehe mich um.), sich anziehen (Ich ziehe … an.), sich aufregen (Ich rege … auf.)

3. Die Verabredung

a) Hör zu und schau die Bilder an. Die Bilder sind nicht in der richtigen Reihenfolge. Ordne sie.

b) Ordne die Sätze und ergänze sie.

- ? Susanne muss ___ noch duschen und umziehen.
- ? Sie sagt: „Ich beeile ___."
- ? Susanne geht allein. Florian bleibt vor dem Fernseher sitzen.
- ? Susanne sagt zu Florian: „Setz ___ doch! Du kannst ja fernsehen."
- 1 Florian kommt. Er möchte Susanne abholen.
- ? Susanne ist fertig. Sie möchte gehen.
- ? Florian sieht im Fernsehprogramm nach. Es gibt ein Fußballspiel.
- ? Sie sagt: „Wir müssen ___ beeilen."
- ? Florian ist ein Fußballfan. Das Spiel ist interessant.

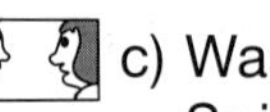

c) Was sagen Susanne und Florian? Spielt die Szene.

d) Schreib die Szene zwischen Susanne und Florian als Geschichte.

4. Wie viel sehen deutsche Kinder fern?

Basis: Kinder bis 13 Jahren in Deutschland

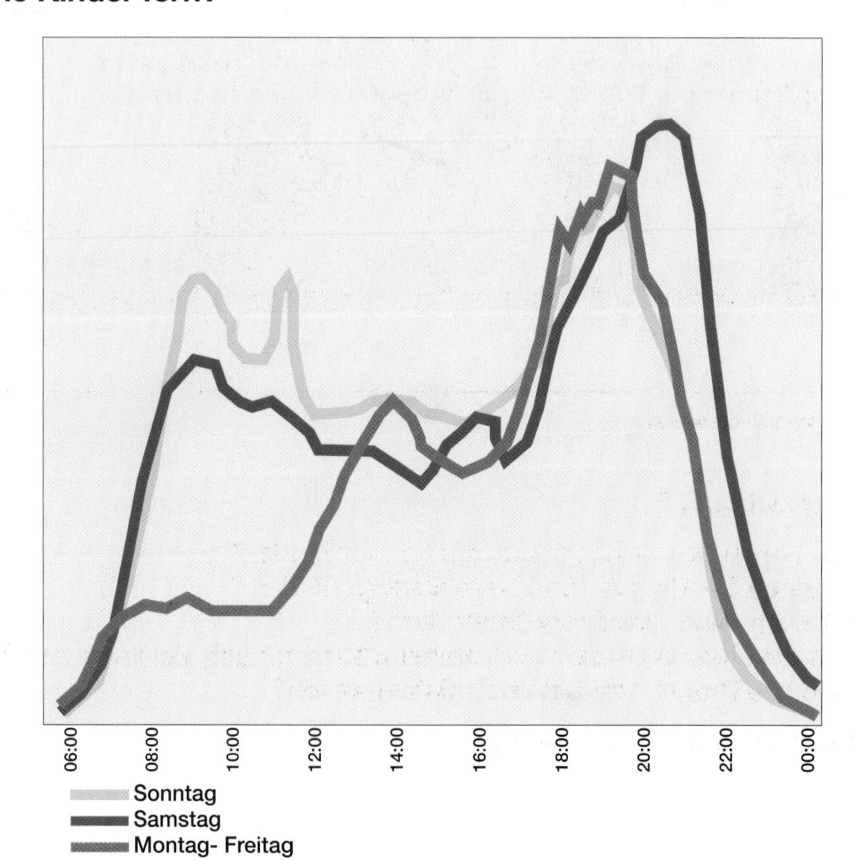

Schau die Graphik an:

An Werktagen Am Wochenende	sehen	mehr Kinder weniger Kinder	abends morgens nach 22 Uhr ...	fern als	am ... an ...

Frag auch deinen Partner:

Wann sehen deutsche Kinder am meisten fern?

Wann sehen sie	abends morgens nachmittags nach 22 Uhr	mehr weniger	fern, am Wochenende oder an Werktagen?

Und wann seht ihr fern? Macht eine Statistik in der Klasse.

5. Ist Fernsehen für Kinder schädlich?

Auf die Frage „Was passiert mit Kindern, die viel fernsehen?“ nannten nur 7 Prozent der jungen Zuschauer positive, aber 93 Prozent negative Folgen. Der Zeichner hat eine Auswahl davon aufgespießt*: Man bekommt schlechte Augen, wird dumm, nervös, aggressiv und hat keine Freunde. Auffallend ist, dass diese Einschätzung die Kinder nicht davon abhält, lange Zeit vor dem Bildschirm zu sitzen ...

FERNSEHKONSUM
UND
DIE FOLGEN ...
... AUS DER SICHT DER
KINDER

* hier: kritisch dargestellt

Was glaubst du?

a) Ist Fernsehen wirklich so schädlich für Kinder?
b) Welche Sendungen sind besonders gefährlich?
c) Warum sehen Kinder trotzdem fern?
d) Ab welchem Alter darf man deiner Meinung nach viel fernsehen?
e) Welche Programme soll man sich ansehen?

Diskutiert auch in der Klasse.

B Fernsehprogramm

1. Das Programm von heute

Hör zu und suche den Sender in der Programmübersicht.
Heute hat die Ansagerin keinen guten Tag. Hör noch einmal zu und vergleiche die Ansage mit dem Programm. Wie viele Fehler macht die Ansagerin?

2. Eine Fernsehansage

a) Du bist jetzt der Ansager/die Ansagerin bei RTL. Mach die Ansage für das Programm am Sonntag, jetzt aber ohne Fehler.
b) Mach die Ansage für das Abendprogramm der ARD (19.58 Uhr).

SONNTAG, 3. MAI | **Privatsender**

	ARD	ZDF	RTL	SAT 1	PRO 7
15	**15.00 Tagesschau** **15.05 Tele-Fußball.** Die Tricks der Superstars **15.20 Frühlingslied (s/w).** (D, 1954). Mit Oliver Grimm, Elsbeth Sigmund u.a.	**15.50 Kaum zu glauben** **15.05 C 14 – Vorstoß in die Vergangenheit.** Sendereihe über archäologische Entdeckungen in Deutschland **16.50 Aktion 240**	**15.20 Disney Filmparade.** Mit Thomas Gottschalk. Classic-Cartoon, Gewinnspiel, Disney-Reportage **16.15 Dr. Syn – Das Narbengesicht.** Engl. Abenteuerfilm, 1963	**15.05 Dick und Doof als Salontiroler (s/w).** (USA, 1938). Mit Stan Laurel, Oliver Hardy **16.25 Tele-Wette.** Anschl.: SAT 1 News	**15.00 Perry Mason (s/w)** Heute: Der Fall mit dem alten Papiergeld **16.05 Im Reich der wild Tiere (Wdh.)** **16.55 Invasion vom Mars** (USA, 1968). Mit Karen Black, Hunter Carson u. Regie: Tobe Hooper
17	**17.00 ARD-Ratgeber: Heim und Garten.** Heute: Alle Nützlinge sind schon da **17.55 Laudate.** Friedrich von Spee in Liedern und Texten	**17.05 heute** **17.10 Die Sport-Reportage**	**17.45 Chefarzt Dr. Westphal**	**17.10 Königin der Wikinger.** (GB, 1966). Mit Don Murray Carita. Regie: Don Chaffey	
18	**18.00 Tagesschau** **18.05 Wir über uns** **18.10 Sportschau** **18.40 Lindenstraße.** Familienserie. Heute: Die Stimme des Blutes	**18.15 ML – Mona Lisa.** Mit Maria von Welser. Heute: Kampf dem Machismo	**18.45 RTL aktuell.** Nachrichten, Wetter, Sport	**18.45 SAT 1 News** **18.50 Sportclub.** Moderation: Dieter Nikles	**18.30 Superforce.** Amerik. Action-Serie: H Im Frieden die Hölle
19	**19.09 Die Goldene 1.** Wochengewinner der ARD-Fernsehlotterie **19.10 Weltspiegel** **19.50 Sportschau-Telegramm** **19.58 Heute Abend**	**19.00 heute** **19.10 Bonn direkt** **19.30 Terra-X: Irrfahrt vor Galapagos.** Mit Thor Heyerdahl auf Inka-Spuren	**19.10 Ein Tag wie kein anderer –** Reisequiz mit Björn Hergen Schimpf. Heute: Kanarische Inseln Reporter vor Ort: Axel Fitzke	**19.20 Glücksrad.** Werbesendung. Anschließend: Wetternews	**19.00 Hardcastle & McCormick.** Amerik. Kr serie. Heute: Freundin a alten Tagen
20	**20.00 Tagesschau** **20.15 Tatort – Experiment.** Krimiserie mit Manfred Krug, Charles Brauer, Dolly Dollar	**20.15 Eine Frau mit Pfiff.** Fernsehkomödie mit Ilse Werner, Jutta Speidel, Peter Fricke u.a. Regie: Carlo Rola	**20.15 Showmaster.** Neue Entertainer für die Show von morgen. Mit Werner Schulze-Erdel. In der Prominenten-Jury sitzen u.a.: Roberto Blanco und Marlène Charell	**20.15 Feuerwerk.** (D, 1954). Mit Romy Schneider, Karl Schönböck, Lilli Palmer u.a. Regie: Kurt Hoffmann	**20.00 PRO 7 Nachrichten** **20.15 Duell im Morgeng** (USA, 1958). Western r Van Heflin, Tab Hunter
21		**21.35 heute** **21.45 Sport am Sonntag**	**21.50 Spiegel TV.** Nachrichten-Magazin		

3. Fernsehsalat

Peter liebt seine Fernbedienung. Er schaltet den ganzen Tag von einem Programm zum andern. Manchmal passt der „Fernsehsalat“ ganz gut zusammen, wie man hier sehen kann. Welche Programme sieht Peter „teilweise“? Schau in der Programmübersicht nach.

„... Und jetzt der spannende 100-Meter-Lauf. Startschuss und los! Hans Backenhauer setzt sich an die Spitze und gewinnt ...“

„... einen Blumentopf, am besten Geranien. Man soll sie immer möglichst nah ans Licht stellen. Denn ...“

„... die seltsamen Wesen aus dem Weltraum warten überall auf uns. Sie sind ...“

„... krank, Herr Wagner, sehr krank. Sie müssen schon alle Medikamente nehmen, auch ...“

„... Schwert und Feuer. Wir kämpfen gegen Euch, Königin. Bis zum Sieg oder bis zum Tod.“

4. Ein Wunschprogramm

Welche Sendungen möchtest du am liebsten sehen? Stell dein Wunschprogramm zusammen.

Mach die Fernsehansage dafür.

5. Wir reden in der Gruppe

Schreibt Fragekarten:

Schreibt auch eine große Karte:

Fernsehen

Macht Gruppen. Legt die Fragekarten verdeckt auf den Tisch.
Einer zieht eine Karte und stellt eine Frage;
ein anderer antwortet.

Beispiel:

Wer sieht in deiner Familie am meisten fern?	– Ich.
Was siehst du am liebsten?	– Sport.
Wie heißt deine Lieblingssendung?	– Telesport.
Wo steht euer Fernseher?	– Im Wohnzimmer.
Wann siehst du fern?	– Am Nachmittag.
Wie oft siehst du fern?	– Jeden Tag eine Stunde.

b) Ihr könnt auch noch andere Karten schreiben: Sport, Hobby, Essen und Trinken, ...
Einer zieht eine große Themenkarte und eine kleine Fragekarte und stellt eine Frage; ein anderer antwortet.

6. Die Fernsehfamilie

1) 35

Marianne Lindemann:
Mama!
Mutter Lindemann:
Ja, was ist denn?
Marianne:
Du, ich habe eine Sechs in Mathematik bekommen. Ärgerst du dich jetzt über mich?
Mutter:
Aber nein, das ist doch nicht so schlimm! Hast du denn den Hund schon ausgeführt?
Marianne:
Ja, natürlich.
Mutter:
Na, siehst du! Das ist doch viel wichtiger als eine schlechte Note.

▲ Conny! Conny! Cornelia!
● Ja, was ist denn?
▲ Hast du heute schon den Hund ausgeführt?
● Nein. Das mache ich nachher.
▲ Nicht nachher! Sofort!
● Ach, Mama! Auf den Film habe ich die ganze Woche gewartet. Er ist gerade so interessant. Ich gehe auch bestimmt mit dem Hund raus. Ach übrigens, ich habe eine Sechs in Mathe.
▲ Schon wieder? Das ist doch nicht möglich!
● Ach, Mama, reg dich doch über eine blöde Note nicht so auf.
▲ Soll ich mich über eine Sechs auch noch freuen?
● Ich gehe auch ganz bestimmt mit dem Hund raus.
▲ Was hat denn der Hund mit deiner Mathenote zu tun? Mach sofort den Fernseher aus! Bring den Hund raus! Und nachher gehst du sofort in dein Zimmer!
● Aber Mama!
▲ Los! Keine Widerrede!
● Ach, Mist!

a) Macht einen weiteren Dialog zwischen Conny und ihrer Mutter: für Oma einkaufen – einen Verweis bekommen

b) Schreibt ein Drehbuch für eine neue Folge der Familienserie *Die Lindemanns* mit dem Titel „Der Verweis".

Mutter:
Und, mein Schatz, hast du heute schon Mathe geübt?
Marianne:
Nein, noch nicht.
Mutter:
Weißt du, Marianne, du musst schon ein bisschen mehr üben. Erinnerst du dich an Tante Grete? Sie hat immer gesagt: Man lernt nicht für die Schule. Man lernt für das Leben.
Marianne:
Sie hat ja so Recht, Mama. Ich gehe sofort in mein Zimmer und übe Mathematik.

c) Lest die Dialoge noch einmal und bildet Sätze.

Connys Mutter Mutter Lindemann Conny Marianne Lindemann	ärgert sich (nicht) über ... freut sich (nicht) über ... hat auf ... gewartet. erinnert sich an ... redet/spricht über ... interessiert sich (nicht) für ...

d) Wie reagieren deine Eltern auf schlechte Noten, Verweise ...?
Kennst du Familienserien im Fernsehen? Welche?
Wie sind die Personen in den Serien? Gibt es solche Leute in Wirklichkeit?

Grammatik

Conny	wartet auf	den Film.
Die Mutter	ärgert sich über	die schlechte Note.
Marianne	erinnert sich an	die Tante.
Frau Lindemann	spricht über	die Schule und das Leben.

7. Spiel: Dalli-Dalli

Vorbereitung:
Man braucht einen Spielleiter und zwei Spielgruppen. Eine Gruppe geht hinaus. Sie darf nichts hören.

So geht das Spiel:
Der Spielleiter gibt einen Satz vor, zum Beispiel:

Ich ärgere mich über ...
Ich warte auf ...

Die erste Gruppe muss in 30 Sekunden so viele Sätze wie möglich sagen. Der Spielleiter zählt die Sätze.

Jetzt kommt die zweite Gruppe herein und macht das Gleiche.

Sieger ist, wer die meisten Sätze gefunden hat.

8. Mein Lieblingsprogramm

Steffi
Am liebsten mag ich Quizsendungen und Shows. Ich sehe mir jede Sendung von Franklin an. Dieser Typ ist einfach super. Am besten gefällt mir das *Millionen-Quiz*. Diese Show ist große Klasse.

Tina
Ich sehe am liebsten Sport. Jeden Samstag schaue ich mir das *Aktuelle Sportstudio* an, natürlich auch jedes Fußballspiel und im Winter alle Schirennen. In diesem Winter darf ich mal zu einem Rennen in die Berge fahren

Manuel
Ich sehe wenig fern, nur jeden Tag die *Tagesschau*. Man muss sich ja informieren. Ach ja, manchmal schaue ich mir diese Sciencefiction-Serien an, *Raumschiff Enterprise* und so. Die sind ganz spannend.

a) Stellt euch gegenseitig Fragen zu den Aussagen.
Beispiel: – Wann kommt das *Aktuelle Sportstudio*?
– Warum sieht Manuel jeden Tag die *Tagesschau*?
– Wie findet Steffi den Moderator Franklin?

b) Welche Fernsehsendungen gefallen dir am besten? Und warum?

Diese Wörter gehen wie die Artikel:

de**r**	– da**s**	– di**e**	– Pl.: die
diese**r**	– diese**s**	– diese	– Pl.: diese
jede**r**	– jede**s**	– jed**e**	– Pl.: alle

!

7

Na so was!

Das Fernsehgegner-Lied

1 36 Ach ich sehe niemals fern, nur ganz gelegentlich.
Fernseh´n find ich ziemlich doof, es interessiert mich nicht.
Nur wenn mal ein Krimi kommt, dann ja dann,
dann ja dann, dann schalt ich an.

Mach weitere Strophen mit: ein Western, ein Spielfilm ...

Lesen

Lesen

Live dabei

Bei vielen Fernsehsendungen ist Publikum im Studio. So bekommt die Sendung erst die richtige Stimmung. Deshalb sucht man für viele Shows Gäste. Wer will, kann mitmachen. Wir haben mit Clarissa aus Buxtehude gesprochen. Sie war bei einer Fernsehsendung live dabei.

Tipp
Du kannst einen Text besser verstehen, wenn du W-Fragen stellst: Wer?, Was?, Wann?, Wo?, Warum?

Reporter: Clarissa, du warst bei einer Fernsehshow live dabei. Wie war das?
Clarissa: Es war ganz lustig. Und natürlich war es auch ganz interessant, einmal zu sehen, wie eine Sendung produziert wird.
Reporter: Bei welcher Show warst du denn?
Clarissa: Bei „Wetten, dass ...?". Das ist die beste Spielshow im deutschen Fernsehen. Dort kommen immer Leute hin, die etwas Besonderes können oder wissen. Und ein Star wettet dann, ob es klappt oder nicht.
Reporter: Warum bist du zu dieser Show gegangen?
Clarissa: Weil ich die Sendung prima finde. Und dann finde ich den Moderator Thomas Gottschalk wirklich super. Außerdem treten in der Sendung immer interessante Gäste auf. Bei „Wetten, dass ...?" waren zum Beispiel schon Popstars wie Cher, Geri Halliwell, Whitney Houston und so.
Reporter: War es einfach, eine Karte für die Sendung zu bekommen?

Clarissa: Es war nicht ganz einfach, denn die Sendung wird in verschiedenen Städten produziert. Ich wollte zu einer Sendung in Düsseldorf fahren, weil meine Tante dort wohnt. Meine Mutter hat für mich dann bei „Wetten, dass ...?" angerufen und eine Karte für mich bestellt. Die Karte war auch nicht billig. Sie hat 33 Euro gekostet. Meine Eltern haben sie mir zum Geburtstag geschenkt.
Reporter: Ist es immer so teuer, wenn man bei einer Sendung mitmachen will?
Clarissa: Nein, man kann auch kostenlose Karten bekommen oder Karten für etwa 10 Euro. Aber „Wetten, dass ...?" ist eine Topsendung. Da muss man mehr bezahlen.
Reporter: Erzähl mal, wie es war.
Clarissa: Ja, also man musste eine Stunde vorher da sein. Dann musste man sich auf seinen Platz setzen, und dann ist ein Animateur gekommen. Das ist ein Mann, der das Publikum in Stimmung bringt. Er hat Witze erzählt und uns die Handzeichen erklärt, bei denen wir während der Sendung klatschen und lachen müssen. Dann ist Thomas Gottschalk gekommen, und er war wirklich ganz nett. Na ja, und dann hat die Sendung angefangen.
Reporter: Was war denn das Beste an der Sendung?
Clarissa: Für mich war das Beste, dass Ricky Martin da war. Ich bin ein großer Fan von ihm. Ich finde es ganz toll, dass ich ihn einmal live gesehen habe.

Ist das richtig? Ist das falsch? Oder steht das nicht im Text?

a) Für viele Fernsehsendungen sucht man Gäste, damit die Stimmung gut ist.
b) Clarissa war bei mehreren Fernsehshows live dabei.
c) Bei „Wetten, dass ...?" kann man zeigen, dass man gut singen und tanzen kann.
d) Zu „Wetten, dass ...?" kommen auch Stars.
e) Für die Sendung bekommt man nicht leicht Karten.
f) „Wetten, dass ...?" kommt immer aus Düsseldorf.
g) Clarissas Eltern waren auch bei der Sendung live dabei.
h) Für „Wetten, dass ...?" gibt es auch billige oder kostenlose Karten.
i) Clarissa war eine Stunde vor der Sendung da.
j) Ein Animateur zeigt, wann die Leute klatschen und lachen müssen.
k) Bei der Sendung hat Clarissa Ricky Martin live gesehen.

Lernwortschatz

Wortschatz

Sendungen im Fernsehen:

Film
Liebesfilm
Sciencefiction-Film
Sportschau
Tageschau (Nachrichten)
Familienserie
Western
Musiksendung
Quiz

Ärger ausdrücken:

So ein Mist!
Das darf doch nicht wahr sein!
Ich ärgere mich ganz furchtbar über ....
Ich rege mich auf.

jemanden beruhigen:

Ach, reg dich doch nicht so auf.
Komm, beruhige dich doch wieder.

Grammatik

Grammatik

Verb

a) reflexive Verben

	sich freuen	
ich	freue	mich
du	freust	dich
er/es/sie	freut	sich
wir	freuen	uns
ihr	freut	euch
sie/Sie	freuen	sich

b) Verben mit Präpositionalobjekt

sich freuen	über	+ *Akkusativ*
sich freuen	auf	
sich interessieren	für	
sich erinnern	an	

Mode – Mode – Mode

Wer spricht?

2 **1** Gespräch 1: Die Frau in Rot. Gespräch 3: ? Gespräch 5: ?

Gespräch 2: ? Gespräch 4: ? Gespräch 6: ?

A Kleidung

1. Die Schumanns, Musikstars vor 150 Jahren

Clara Schumann, 21 Jahre

Robert Schumann, 29 Jahre

Um 1850 waren die Schumanns berühmte Leute. Clara Schumann war Pianistin und ihr Mann war Komponist.

a) Clara und Robert damals:

Ich finde sie doof/kitschig/toll ...

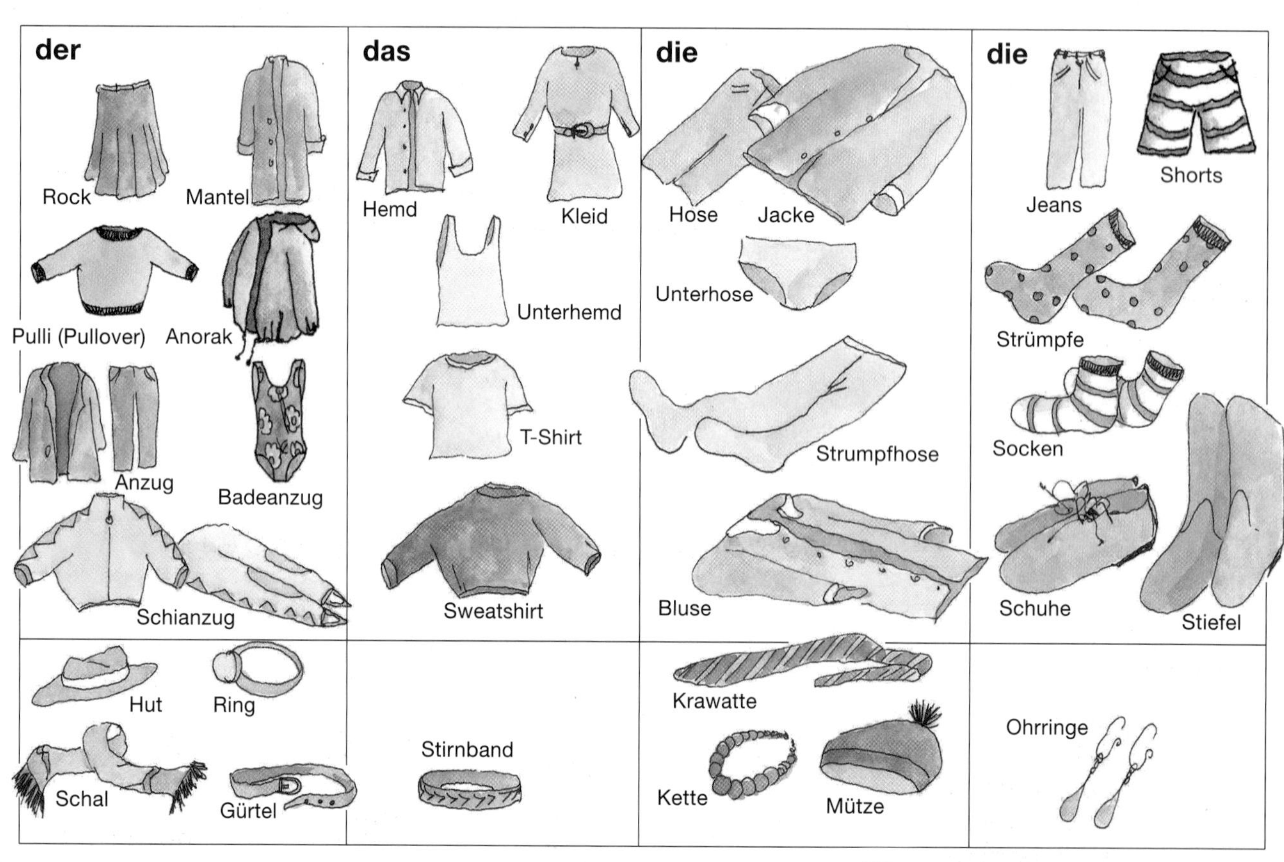

b) Musiker heute: Was ziehen sie an?
Was glaubst du?

Sprich so: Ich glaube, | ein Musiker trägt Jeans und ...
Ich meine, | eine Musikerin trägt ...

Tipp
Denk daran: Wenn du Nomen farbig kennzeichnest, kannst du den Artikel besser behalten.

c) Wie findest du die Mode von damals?

Das Kleid	gefällt mir	gut.
Die Jacke		überhaupt nicht.
...		...

2. Wir packen ein!

a) Macht eine Liste: Kleidung für ...

b) Spiel: Bildet Gruppen.
Jede Gruppe sagt, was sie eingepackt hat.
Die anderen müssen raten, wohin die Gruppe fährt.

3. Lieblingskleidung

Frag deinen Partner.

a) Was ziehst du lieber an,
- Hosen oder Röcke?
- Mäntel oder Jacken?
- Jeans oder Anzüge?
- ...

b) Was ist dein liebstes Kleidungsstück? Wie sieht es aus? Antworte, zum Beispiel:

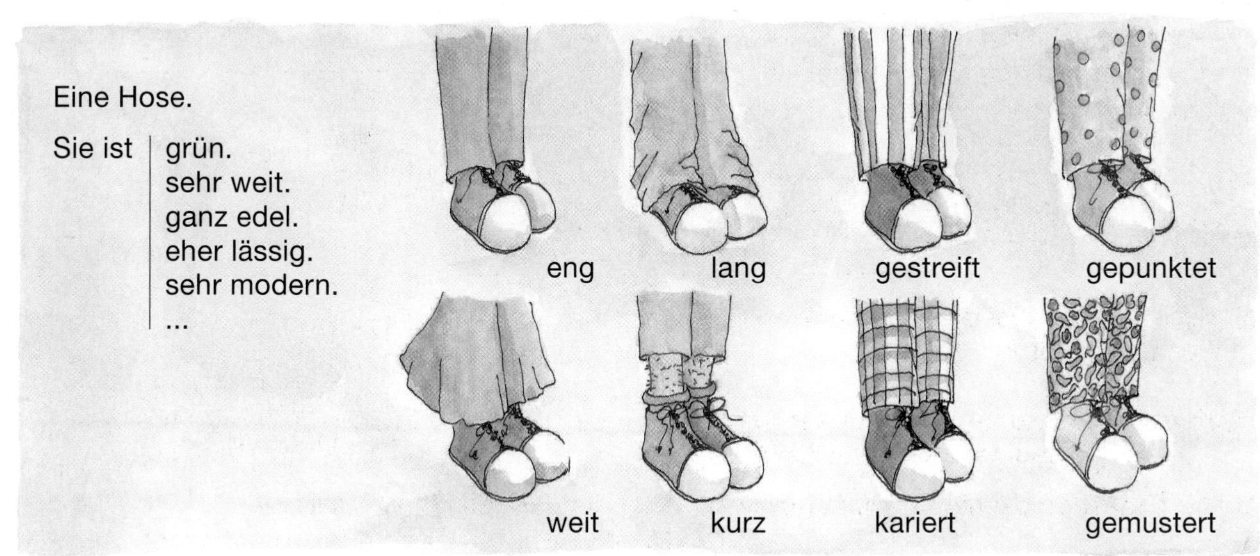

Eine Hose.

Sie ist
- grün.
- sehr weit.
- ganz edel.
- eher lässig.
- sehr modern.
- ...

4. Frau Schneider und ihre Kleider

Wer sagt was? Ordne die Sprechblasen den Bildern zu.

A	B	C	D	E	F	G
? ? ?	?	? ?	?	?	?	? ? ?

Wie findest du Frau Schneider auf den Bildern A/G und C/D/E?

Ich finde, der kurze Rock steht ihr nicht gut.
dass der kurze Rock ...
für den kurzen Rock ist sie zu alt. / jung. / klein. / groß. / ...

Grammatik

Nominativ			Akkusativ		
der	blaue	Rock	de**n**	blaue**n**	Rock
das	blaue	Kleid	das	blaue	Kleid
die	blaue	Hose	die	blaue	Hose
die	blauen	Schuhe	die	blauen	Schuhe

B Mode

1. Mode früher

Wie findest du die Mode von 1850, 1970 ...

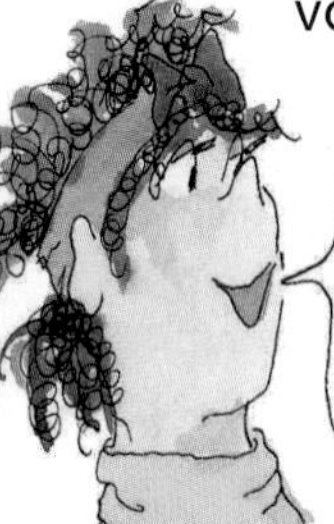

Die Mode von 1850 gefällt mir nicht. Der grüne Rock sieht doof aus.

Die Mode von 1970 finde ich toll. Die weiten Hosen sehen echt gut aus.

2. Einkaufen

2

- ● Welchen Pulli nimmst du denn, den roten?
- ▲ Nein, der ist mir zu teuer.
- ● Dann nehme ich ihn eben.

Macht weitere Dialoge.

●				▲			
Rock/eng	Hemd/weiß	Hose/schwarz	Schuhe/grau	zu	klein	zu	altmodisch
Hut/groß	T-Shirt/bunt	Kette/lang	Strümpfe/dünn		groß		hell

3. Foto-Quiz

Wer ist wer? Ordne zu.

Herr Braun, Mathematiklehrer

Frau Lerch, Englischlehrerin

Herr Reichel, Polizist

Julia Altmann, Fotomodell

Frau Ott, Schulleiterin

a) Das Mädchen mit dem tollen Roller ist ...
b) Der Junge mit dem süßen Kaninchen ist ...
c) Das Mädchen mit der großen Schultüte ist ...
d) Das Mädchen mit dem schönen Schaukelpferd ist ...
e) Der Junge mit den dunklen Haaren ist ...

Grammatik

Dativ

mit dem	blaue n	Rock
mit dem	blaue n	Kleid
mit der	blaue n	Hose
mit den	blauen	Schuhen

4. Spiel: Personenraten

So geht das Spiel:

Alle Mitspieler sitzen in einem großen Kreis. Ein Spieler sucht eine Person im Kreis aus, nennt sie aber nicht. Das ist seine „Person X".
Ein Mitspieler fragt:
Wer ist deine Person X?

Der Spieler antwortet:

Der Junge	**mit**	**dem gelben**	**Pulli.**
Das Mädchen		**dem roten**	**Hemd.**
		der ...	**...**
		den	

Der Mitspieler muss so schnell wie möglich die Person X identifizieren. Gleichzeitig muss die Person X verstehen, dass sie gemeint ist und aufstehen.
Wer ist schneller?
Der Sieger der Runde spielt weiter.
Er sucht die nächste Person X aus.
Manchmal braucht der Mitspieler mehr Informationen.
Er fragt noch einmal: Wer ist deine Person X?
Der Spieler gibt weitere Informationen:
Der Junge / Das Mädchen mit ...

3

5. Mode. Ist das überhaupt ein Thema?

Hör zu. Was meinen die jungen Leute?
Ist für sie Mode wichtig?

a) Mach eine Tabelle nach diesem Beispiel und fülle sie aus.

Name	wichtig	nicht so wichtig	unwichtig
	x		

b) Welche Kleidung tragen sie? Beschreibe.

6. Was bringt die neue Sommermode?

Hallo, Mädchen!
(natürlich auch „Hallo, Jungen!"– wenn ihr wollt)

Ist eure neu■ Sommermode schon komplett? Nein? Sehr gut! Denn was die jung■ Modehäuser in Berlin jetzt gezeigt haben, ist wirklich super, mal was ganz anderes und gar nicht teuer!Kennt ihr die neu■ Sommerfarbe? – Grau! Ja, ihr habt richtig gelesen – grau. Das sieht gar nicht langweilig aus.

Stell dir vor, du kaufst Jeans und eine Jacke, alles in Grau natürlich. Und jetzt kannst du kombinieren: Zu den grau■ Jeans trägst du das grün■ T-Shirt und den blau■ Gürtel vom letzten Sommer und die rot■ Stiefel aus der Wintergarderobe. Das sieht total schick aus!

Oder: Zu der neu■ Jacke trägst du das groß■, blau-kariert■ Hemd deines Bruders und den lang■ Schal deiner Mutter. Sie hat bestimmt einen. Und wenn er dann noch rot oder grün ist, bist du total modern. Dazu passen der groß■ Strohhut und die gemustert■ Bermudashorts, die dir deine Tante letztes Jahr aus den Ferien mitgebracht hat. Perfekt!

Hast du noch einen Rock im Schrank? Ist er lang und weit? Sehr gut! Die Farbe ist egal. Zu diesem lang■ Rock ziehst du die grau■ Jeans an. Sie sollen gerade noch ein bisschen unten herausschauen. Dazu kommt die grau■ Jacke mit dem blau■ Gürtel außen herum. Und darunter gehört das grün■ T-Shirt.

Ihr seht: tausend Kombinationen, immer wieder neu, immer wieder schick und für wenig Geld.

Wie findest du diese Mode? Mach eine Skizze zu den Vorschlägen.

Na so was!

Mix-Max

Macht Gruppen von sechs bis acht Schülern.
Jeder hat ein Blatt Papier.
Die Blätter sollen gleich groß sein. Die Blätter werden mit Linien in vier Teile aufgeteilt.

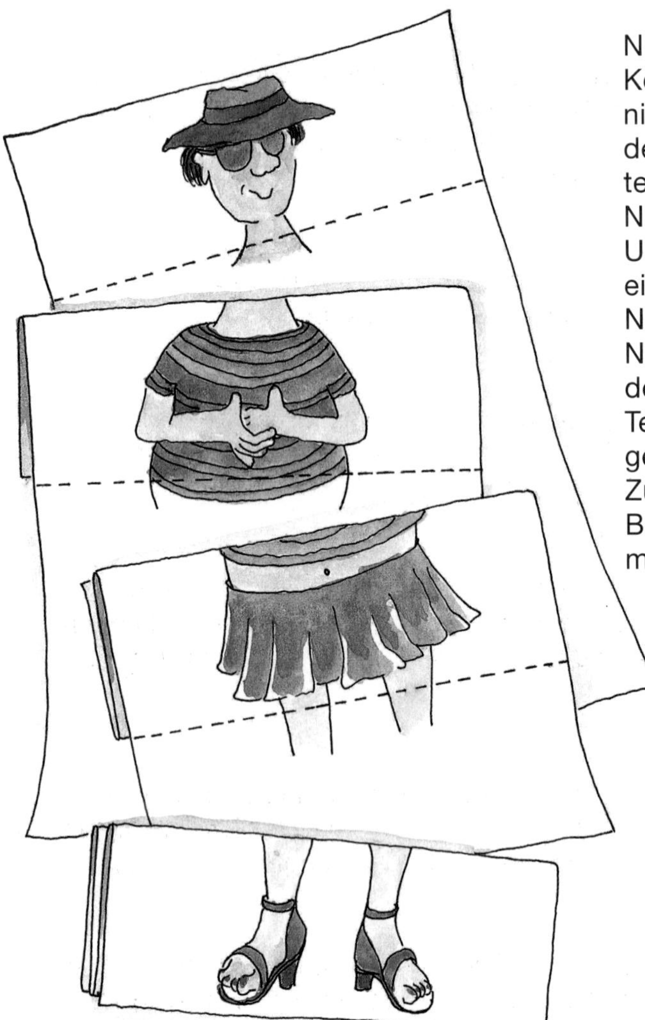

Nun zeichnen alle in den obersten Abschnitt einen Kopf mit Hals. Aber Vorsicht! Die anderen dürfen nichts sehen. Der Hals muss noch ein wenig in den zweiten Teil hineingehen. Das Blatt nach hinten falten und nach links weitergeben.
Nun zeichnen alle den Oberkörper mit den Armen. Und wieder ein bisschen in den nächsten Teil hineinzeichnen.
Nach hinten falten und nach links weitergeben.
Nun zeichnen alle den Bauch und den oberen Teil der Beine. Und wieder ein wenig in den nächsten Teil hineinzeichnen. Falten und nach links weitergeben.
Zum Schluss zeichnen alle den unteren Teil der Beine und die Füße, mit oder ohne Schuhe. Aufmachen und sich überraschen lassen!

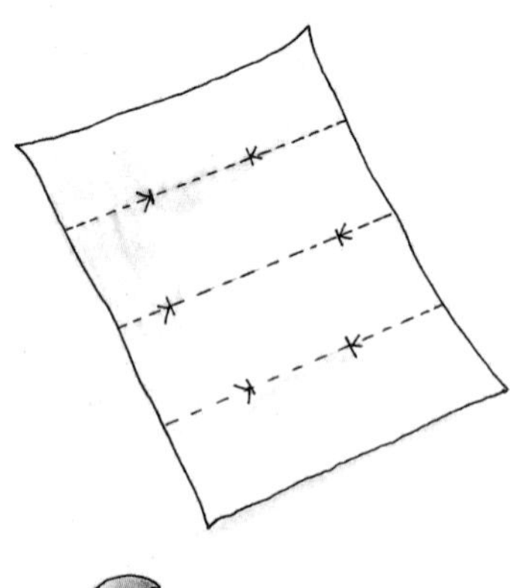

Ihr könnt auch ein Mix-Max-Spiel herstellen.
Teilt gleich große Blätter mit Linien in vier Teile auf, wie vorher beschrieben. Nun macht gemeinsam aus, wo genau Hals, Bauch und Beine sein müssen.
Jetzt zeichnen alle eine Figur. Sie darf ruhig modisch sein!
Die Figur an den Linien in vier Teile schneiden.
Alle Streifen sammeln: alle Köpfe, alle Oberkörper, alle Bäuche, alle Beine und Füße.

Auf einem großen Karton die Streifen festmachen.
Jetzt könnt ihr blättern und viele Mix-Max-Figuren herstellen.

Tipp
Lies den Titel, und überlege dir, wovon der Text handeln könnte. Das hilft dir, den Text zu verstehen.

Jungs, tragt endlich Röcke!

Warum müssen eigentlich immer nur Mädchen Röcke tragen? Und Jungen Hosen? Jungen haben doch auch schöne Beine! Röcke für Jungen – ist das nicht eine tolle Idee?
Sophie

Schon seit Jahrtausenden tragen Mädchen Röcke. Aber wenn du das ändern willst, fang doch mal bei deinem Vater oder Bruder an! Das wird sicher nicht leicht! Übrigens, in Indonesien tragen bei den Buddhisten auch die Männer lange Röcke.
Inga

Das finde ich gut. Man muss sich natürlich erst daran gewöhnen! Die Röcke für Jungen dürfen aber nicht gemustert sein.
Annette

Ich bin nicht deiner Meinung. Jungen spielen Fußball, fahren Skate-Board und machen Inline-Skating. Mit einem Rock geht das nicht. Röcke sind doch gar nicht praktisch.
Jakob

Ich finde deine Idee prima. Jungen sollen wirklich Röcke anziehen, weil sie schöne Beine haben. In Schottland tragen die Männer ja auch Röcke. Ich freue mich schon darauf, bald viele Jungen in Röcken zu sehen.
Eva

Ich bin nicht deiner Meinung! Ich bin ein Mädchen und trage sehr oft Hosen. Niemand sagt mir, ob ich einen Rock oder eine Hose anziehen soll. Und wenn Jungen kurze Hosen tragen, ist das genauso schick.
Steffi

Danke für das Kompliment mit den Beinen! Du bist ein Mädchen. Aber versetz dich doch einmal in die Situation eines Jungen. Sicher möchtest du dann auch keinen Rock tragen.
Martin

a) Wie finden die Jugendlichen Sophies Idee? Gut oder schlecht?

Sprich so: Inga findet …

b) Stellt Fragen an den Text: Wer? Was? Wo? Warum? Wem? Wie?

Lernwortschatz

Wortschatz

Kleidung:

der Rock
der Mantel
der Pulli (Pullover)
der Anzug
der Anorak
der Badeanzug
der Schlafanzug
der Hut
der Schal
der Gürtel

das Hemd
das Kleid
das Unterhemd
das T-Shirt
das Sweatshirt
das Stirnband

die Hose
die Jacke
die Unterhose
die Strumpfhose
die Bluse
die Krawatte
die Mütze

die Jeans
die Stümpfe
die Socken
die Schuhe
die Stiefel

so kann Kleidung aussehen:

lässig
edel
eng – weit
lang – kurz
gestreift
gepunktet
kariert
gemustert

eine Meinung ausdrücken:

Ich finde, der Rock steht ihr (nicht) gut.
Ich finde, dass der Rock ihr (nicht) gut steht.
Ich finde, für den Rock ist sie zu klein/groß.
...

Grammatik

Grammatik

Adjektiv

Singular	Maskulinum	Neutrum	Femininum
Nominativ	der grün e Mantel	das grün e Kleid	die grün e Hose
Akkusativ	den grün en Mantel	das grün e Kleid	die grün e Hose
Dativ	dem grün en Mantel	dem grün en Kleid	der grün en Hose
Plural			
Nominativ	die grün en Socken		
Akkusativ	die grün en Socken		
Dativ	den grün en Socken		

Meinungen und Marotten

Wie findest du die Leute?
Und warum?

modern	–	altmodisch
doof	–	toll
auffallend	–	langweilig
hässlich	–	hübsch
gepflegt	–	ungepflegt
...		

9A

A Meinung

1. Was sagst du dazu?

a) Wie findest du die Leute auf den Bildern?

b) Was sagen die beiden Mädchen über die Leute auf den Bildern oben?

1 Schau dir diese verrückten Typen an! Entsetzlich!
2 Schicke Leute, die beiden!
3 Was macht eine so elegante Frau mit zwei so wilden Typen?

A	B	C
?	?	?

c) Stell dir vor, deine Eltern sehen solche Leute wie oben. Was sagen sie?

Grammatik

Nominativ/Akkusativ	Nominativ/Akkusativ
– verrückte Typen – schicke Leute	die verrückten Typen diese schicken Leute
Dativ	**Dativ**
mit wilden Typen	mit den wilden Typen mit diesen wilden Typen

Tipp
Lern die Endungen der Adjektive in Verbindung mit dem Nomen und dem Satzzusammenhang.

2. Schau mal die an!

● Schau mal, die beiden da. Das sind vielleicht verrückte Typen!
▲ Diese verrückten Typen sind übrigens meine Brüder.
● Oh!?

Macht weitere Dialoge.

●		▲
komisch… doof… langweilig… altmodisch…	Typen Leute	Freunde Eltern Geschwister Verwandten

3. Geschmackssache

5

● Hallo, Verena!
▲ Ach, du bist's.
● Sag mal, hast du schon „Zwei verrückte Typen" gesehen? Ein toller Film, sag ich dir!
▲ Also, den find ich überhaupt nicht gut.
● Und „Eiskalt"? Kennst du den? Ein echt interessanter Film!
▲ Findest du? Der ist doch langweilig!
● Hm. Und „Rasta Basta" findest du wohl auch doof?
▲ Ganz und gar nicht. Der ist doch fantastisch!

Macht weitere Dialoge.

Rocky Rockson Teddy Valko Udo Lindenberg	gehört?	ein toller ein gut...	Sänger
„Momo" „September" „Das Parfüm"	gelesen?	ein interessantes ein gut...	Buch
Pünktchen BAP Supervamp	gehört?	eine tolle eine gut...	Gruppe

Grammatik

Nominativ			
ein neue r Film (de r)	ein neue s Buch (da s)	eine neu e Gruppe (di e)	-- neue Bücher

4. Sagt eure Meinung!

Schüler A nennt einen Filmtitel, einen Sänger, ein Musikstück, ein Schulfach ...
Schüler B kommentiert.

Beispiele:
(A) Sport. – (B) So ein tolles Fach!
(A) Schnitzel. – (B) So ein gutes Essen!

So	ein eine	nett... hübsch... lecker... toll... schön... gut... elegant... blöd... doof... langweilig... hässlich... entsetzlich...	Essen Musik Tag Junge Mädchen Sänger Gruppe Stadt Fach Getränk Film ...

5. E-Mail

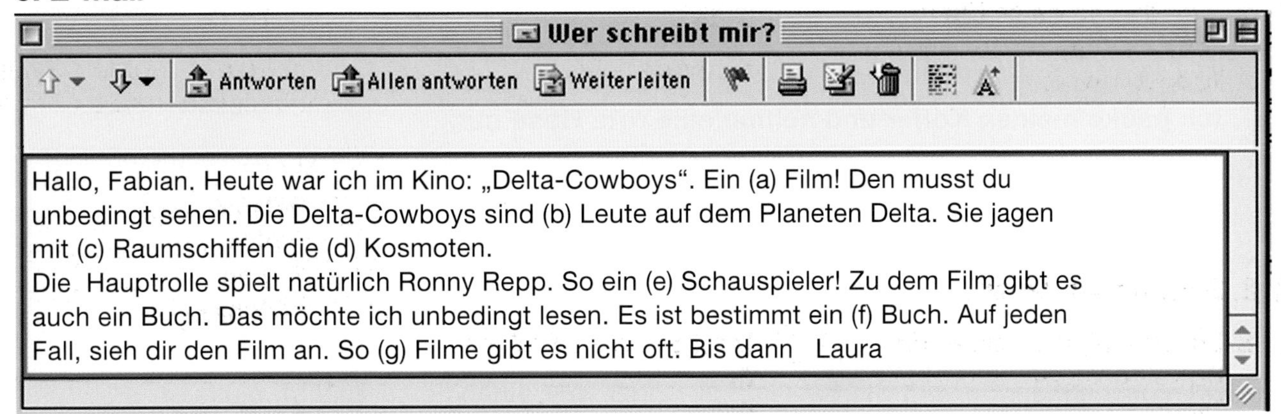

Hallo, Fabian. Heute war ich im Kino: „Delta-Cowboys". Ein (a) Film! Den musst du unbedingt sehen. Die Delta-Cowboys sind (b) Leute auf dem Planeten Delta. Sie jagen mit (c) Raumschiffen die (d) Kosmoten.
Die Hauptrolle spielt natürlich Ronny Repp. So ein (e) Schauspieler! Zu dem Film gibt es auch ein Buch. Das möchte ich unbedingt lesen. Es ist bestimmt ein (f) Buch. Auf jeden Fall, sieh dir den Film an. So (g) Filme gibt es nicht oft. Bis dann Laura

Setz ein:

interessantes	2	schnellen	8	toller	10
junge	5	gute	9	guter	12
hässlichen	6				

Rechenrätsel:
a + b - c - d + e - f + g = 20

6. Tolle Sachen

■ Du hast aber ein tolles Motorrad!
▲ Das ist leider nicht meins.

Macht weitere Dialoge.

der	Plattenspieler Tennisschläger	das	Fahrrad Skateboard	die	Lederjacke Kamera	die	Rollschuhe Computerspiele

Grammatik

Akkusativ

einen	tolle*n*	CD-Player	*de n*
ein	tolle*s*	Fahrrad	*da s*
eine	toll*e*	Kamera	*di e*
–	tolle	Rollschuhe	

7. Spiel: Koffer packen

So geht das Spiel:

Schüler A beginnt:
Ich packe meinen Koffer und nehme eine rote Hose mit.

Schüler B sagt:
Ich packe meinen Koffer und nehme eine rote Hose und ein blaues Hemd mit.

Schüler C sagt:
Ich packe meinen Koffer und nehme eine rote Hose, ein blaues Hemd und ... mit.

Jeder Schüler wiederholt, was die anderen gesagt haben, und hängt noch ein Kleidungsstück an. So wird der Satz immer länger. Wer einen Fehler macht, muss ausscheiden.

Sieger ist, wer am Schluss alle Sachen im Koffer ohne Fehler aufzählen kann.

8. Tagebuch

Sonntag, 15. März
Gestern war ich bei Elsa zum Geburtstag eingeladen. Es war eine toll Party mit interessant Leuten. Elsa mag gern verrückt Typen. Manche habe ich gar nicht gekannt. Ein Mädchen war ganz verrückt angezogen. Sie hatte gestreift , eng Jeans an, darüber ein weit , gelb Kleid, und auf ihrem Kopf war ein groß , rot Hut. Na ja, Geschmacksache! Und da war ein Junge. Der hatte einen groß Ring in der Nase und kurz , blau Haare. Ich mag lieber Jungen mit blond Haaren und blau oder grün Augen. So wie Martin aus der 9b. Der war auch da. Er hatte aber ein nett Mädchen dabei. Schade.

Dienstag, 17. März
Heute habe ich Martin in der Pause gesehen. Er ist wirklich ___, und immer so ___! Heute hatte er eine ___ Hose an und dazu ein ___ Hemd, so wie seine ___, ___ Augen. Über seinen ___ Schultern hatte er einen ___ Pulli. Das passt ja so gut zu seinen ___ Haaren. Ich mag doch ___ Haare so gern. Martin ist wirklich ein ___ Typ!

Setz ein:
süß
schick
grün

graue
blonde

grünen
breiten
schwarzen
blonden
schönen

grünes
toller

Donnerstag, 19. März
Heute nach der Schule habe ich auf Elsa gewartet. Auf einmal habe ich etwas in der Glastür gesehen:
ein ___ Gesicht, eine ___ Nase, einen ___ Mund, ___ Augen und ___ Haare. Ich habe ihn sofort erkannt: Martin. Er hat mich gefragt, was ich hier mache. Ich glaube, ich habe ein ziemlich ___ Gesicht gemacht und habe etwas gestottert, dass ich am Nachmittag Sport habe und bis zwei Uhr warten muss. „Schade", hat Martin gesagt, „ich wollte dich einladen. Heute läuft nämlich ein ___, ___ Film. Na ja, vielleicht ein anderes Mal."
Ein anderes Mal! Wann denn? So ein Mist! Eine Einladung von Martin, und ich hatte diesen ___ Sportunterricht. Na ja, ein Anfang ist gemacht.

Setz diese Adjektive mit der richtigen Endung ein:
grün
doof
schmal
blond
klein
blöd
breit
toll
neu

9. Wir reden in der Gruppe

Schreibt Fragekarten:

Schreibt auch große Karten:

Mode
Kleidung
Film

Macht Gruppen. Legt die Fragekarten verdeckt auf den Tisch.
Einer zieht eine Karte und stellt eine Frage; ein anderer antwortet.

Beispiel:
Was/Welche Kleidung ziehst du gern/am liebsten an? – Hosen.
Wie oft kaufst du neue Kleidung/Klamotten? – Jeden Sommer./ Zweimal im Jahr.
Mit wem kaufst du Kleidung ein? – Mit meiner Freundin./Allein.

10. Was soll ich nur anziehen?

● Was soll ich denn heute Abend nur anziehen?
▲ Vielleicht die schwarz-blau gestreifte Bluse. Die finde ich toll!
● Aber passt die denn zu meinem blauen Rock?
▲ Ich glaube schon.

Macht weitere Dialoge.

▲	●
blau-weiß kariert... Hemd	grün... Jacke
gelb-schwarz gestreift... Pulli	rot... Hose
grün-weiß gestreift... Jacke	gelb... T-Shirt
...	...

Grammatik

Dativ Singular			Dativ Plural
Maskulinum	Neutrum	Femininum	
Was passt zu ...	Was passt zu ...	Was passt zu ...	Was passt zu ...
einem meinem deinem seinem ihrem ... | blaue n Pulli?	einem meinem deinem seinem ihrem ... | blaue n Hemd?	einer meiner deiner seiner ihrer ... | blaue n Hose?	– meinen deinen seinen ihren ... | blaue n Schuhen?

11. Wie ehrlich soll man zu seinen Freunden sein?

Stell dir vor, dein Freund / deine Freundin kommt und zeigt dir stolz eine neue Jacke oder die neue Frisur. Und du findest sie entsetzlich. Sagst du etwas?
Soll man in solchen Situationen ehrlich die Meinung sagen und riskieren, dass der andere beleidigt ist? Oder soll man „nett" sein und nicht die Wahrheit sagen? Diskutiert in der Klasse.

12. Mich laust der Affe!

● Du, schau mal, da drüben!
▲ Ich glaub', mich laust der Affe! Jochen mit einem dunkelblauen Anzug!

Macht weitere Dialoge.

Ich glaub', mich tritt ein Pferd!
Das kann doch wohl nicht wahr sein!
Ich glaub', mein Schwein pfeift.
...

Jochen mit	Hut! Krawatte! einem Nasenring! ...

13. Das Schwarze Brett

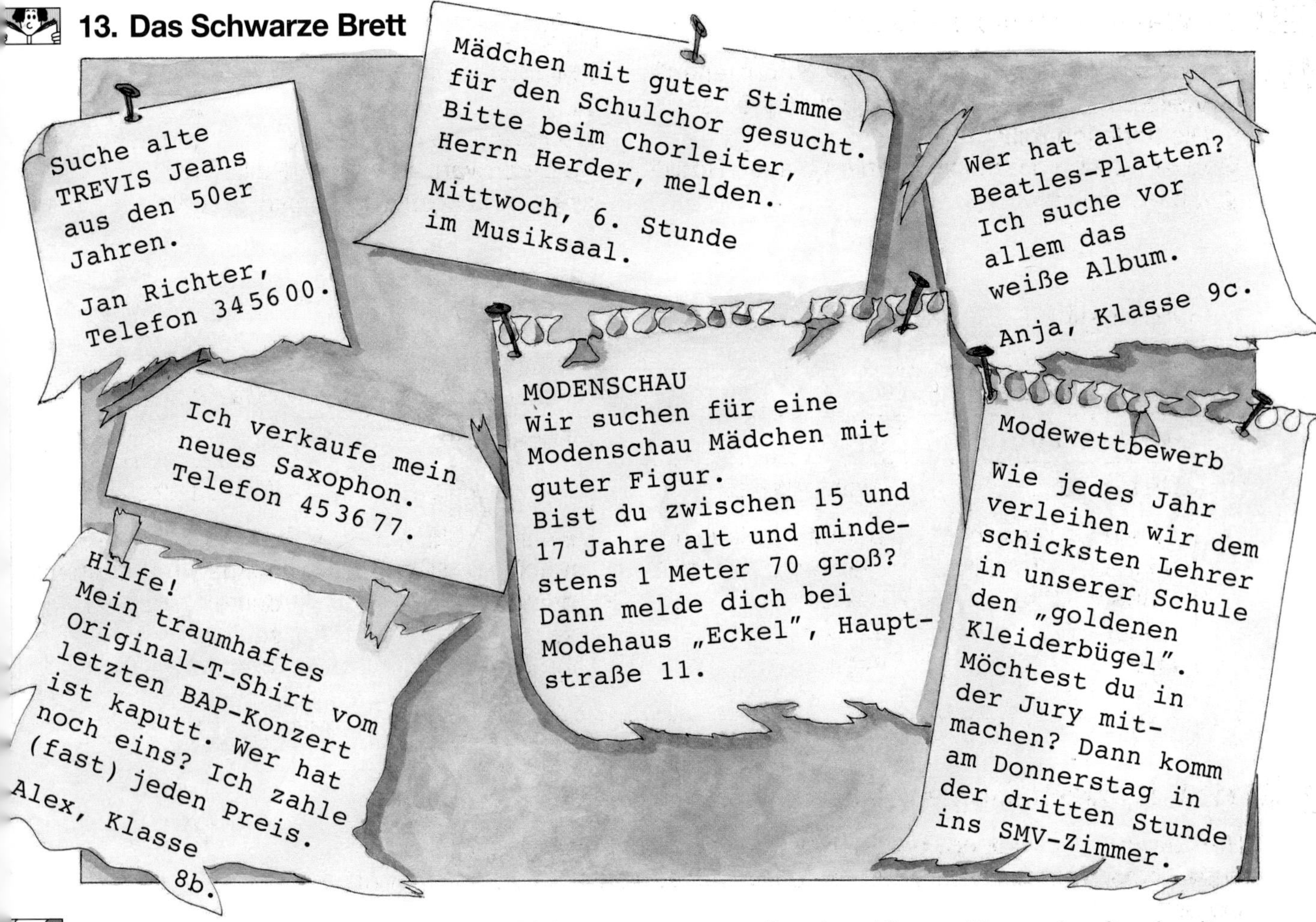

Suche alte TREVIS Jeans aus den 50er Jahren.
Jan Richter, Telefon 345600.
Mädchen mit guter Stimme für den Schulchor gesucht. Bitte beim Chorleiter, Herrn Herder, melden.
Mittwoch, 6. Stunde im Musiksaal.
Wer hat alte Beatles-Platten? Ich suche vor allem das weiße Album.
Anja, Klasse 9c.
Ich verkaufe mein neues Saxophon. Telefon 453677.
MODENSCHAU
Wir suchen für eine Modenschau Mädchen mit guter Figur. Bist du zwischen 15 und 17 Jahre alt und mindestens 1 Meter 70 groß? Dann melde dich bei Modehaus „Eckel", Hauptstraße 11.
Modewettbewerb
Wie jedes Jahr verleihen wir dem schicksten Lehrer in unserer Schule den „goldenen Kleiderbügel". Möchtest du in der Jury mitmachen? Dann komm am Donnerstag in der dritten Stunde ins SMV-Zimmer.
Hilfe! Mein traumhaftes Original-T-Shirt vom letzten BAP-Konzert ist kaputt. Wer hat noch eins? Ich zahle (fast) jeden Preis.
Alex, Klasse 8b.

a) Lest die Anzeigen und spielt die Dialoge und Telefongespräche.

b) Schreibt selbst Anzeigen für das Schwarze Brett:
- Der Sportlehrer sucht noch Spieler für die Volleyballmannschaft.
- Carsten, Klasse 10a, verkauft sein altes Skateboard.
- Kirsten sucht eine gebrauchte, schwarze Lederjacke.

Spielt auch diese Dialoge und Telefongespräche.

14. Spiel: Sätze ordnen

Vorbereitung:

Bildet drei Gruppen. Jede Gruppe denkt sich zwei Sätze aus und schreibt sie auf Karten, zweimal. Auf jeder Karte steht ein Wort. Die Sätze müssen Adjektive enthalten.

Zum Beispiel:

Ich	nehme	die	blaue	Hose	
Ich	nehme	die	blaue	Hose	
Ich	komme	mit	meinem	kleinen	Bruder
Ich	komme	mit	meinem	kleinen	Bruder

So geht das Spiel:

Gruppe A teilt ihre Karten in zwei Stapel. Zwei verschiedene Sätze bilden einen Stapel. Nun mischt einer der Gruppe A die Karten. Die Gruppen B und C bekommen gleichzeitig die Karten und bilden die zwei Sätze. Sieger ist, wer zuerst die Sätze geordnet hat. Gruppe A kontrolliert.

Ebenso: Gruppe B gibt ihre Karten an Gruppe A und Gruppe C.
Gruppe C gibt ihre Karten an Gruppe A und Gruppe B.

B Marotten

1. Wer sagt was?

A
● Warum starrst du uns denn so an?
▲ Ich starre doch nicht. Ich schaue euch nur an. Das ist mein romantischer Blick.

B
● Ich glaub', mich laust der Affe! Klaus mit Brille! Du brauchst doch gar keine.
▲ Ach, weißt du, dann sehe ich noch intelligenter aus.

C
● Wie findest du denn mein neues Kleid?
▲ Ehrlich gesagt, es macht dich dick.
● Na und! Das ist jetzt modern. Und ich gehe immer mit der Mode.

D
● Kann ich euch mal was fragen? Ich habe da ein Problem. Ich kann ohne meinen Teddybär nicht einschlafen. Ist das schlimm?
▲ Na ja, in deinem Alter ist das nicht ganz normal.

a) Ordne die Dialoge den Bildern zu.

A	B	C	D
?	4	?	?

b) Wer hat welche Marotte?
Der Junge in Dialog A glaubt, dass sein Blick auf Mädchen wirkt.
Der Junge in Dialog B ...
Das Mädchen in Dialog C ...
Der Junge in Dialog D ...

c) Manche Marotten können sehr nett sein, andere ziemlich doof.
Wie findest du diese Marotten?
Kennst du auch jemanden mit einer Marotte? Hast du selbst Marotten?

Grammatik

	Akkusativ	
Das macht Ich finde	mich dich ihn es sie uns euch sie/Sie	dick. sympathisch.

2. Frag doch Frau Helene!

Das TopMagazin

Hast du Probleme?
Dann frag Frau Helene.

A
Mein Freund ist sehr nett. Und ich mag *mpfm* auch gern. Aber er hat immer den gleichen alten Pulli an. Den finde ich scheußlich. Ich habe auch schon mal was gesagt. Aber mein Freund meint, der Pulli bringt Glück. Und deshalb hat er *mpfm* immer an. Was soll ich machen?

B
Ich mag Ringe wahnsinnig gern. Ich habe an jedem Finger einen oder zwei, an beiden Ohren natürlich auch. Jetzt möchte ich noch einen für die Nase. Aber mein Freund sagt, er mag *mpfm* nicht mehr, wenn ich einen Nasenring trage. Was hat er nur? Er hat *mpfm* doch bisher immer schick gefunden.

C
Ich habe ein Problem: Immer wenn ich nervös bin, wackle ich mit den Ohren. Ich spreche ein Mädchen an, möchte *mpfm* kennen lernen, sage „Darf ich *mpfm* zu einem Eis einladen?", und schon wackeln meine Ohren. Das Mädchen lacht *mpfm* aus, und ich habe keine Chance mehr. Was kann ich dagegen tun?

D
Wir sind Geschwister und haben ein gemeinsames Zimmer. Manchmal, wenn unsere Eltern nicht da sind, machen wir unser Zimmer ganz dunkel und zünden viele Kerzen an. Das ist so romantisch. Aber unsere Mutter schimpft *mpfm* dann immer aus. Sie sagt: „Man kann *mpfm* nie allein lassen. Eines Tages zündet ihr noch das ganze Haus an." Warum haben Eltern so wenig Sinn für Romantik?

Frau Helene antwortet:

1
Die Angst eurer Eltern kann ich gut verstehen. Macht es doch, wenn ihr nicht allein zu Hause seid.

2
Auch schöne Dinge können hässlich sein, wenn zu viele davon da sind. In deinem Fall ist wenig wahrscheinlich mehr. Ich kann deinen Freund gut verstehen.

3
Für dich ist doch die Person wichtiger als die Kleidung, oder nicht? Du darfst eben deinen Freund an solchen Tagen nicht so genau ansehen.

4
Ich kann dich gut verstehen. Es ist schwierig, wenn man schüchtern ist. Schreib doch zuerst einen Brief. Dann ist der zweite Schritt nicht mehr so schwer.

a) Ordne die Antworten den Briefen zu.

A	B	C	D
?	?	?	?

b) In den Briefen sind viele „Druckfehler". Ersetze *mpfm* durch: mich, dich ...

Na so was!

Was für ein Glück, dass es mich gibt!

2 9

Es gibt so Tage, da hab' ich die Nase voll.
Da find' ich mich entsetzlich und gar nicht toll.
Da ist mir zum Heulen oder zum Schreien.
Da sag' ich mir, ich lass' alles sein.

Aber dann zieh' ich mich an!
Alte Jeans wie die von James Dean.
Eine Lederjacke wie die von Tom Cruise.*

Ein Blick in den Spiegel, den Kamm durchs' Haar, alles klar! Alles klar!
Ich fühl' mich gut, ich lebe ja,
hab' Fantasie und stell' was dar!
Ich weiß, ich bin ein toller Typ.
Was für ein Glück, dass es mich gibt!

* Schreibt weitere Strophen

Lesen

Test:
Was machst du, wenn dir jemand gefällt?

1. Du fährst mit dem Bus zum Fußballstadion. Ein Junge/Mädchen, der/das dir gefällt, lächelt dich an.
   - Du lächelst auch und sagst, dass man im Bus doch immer wieder tolle Leute kennen lernt. 6
   - Du lächelst – aber nur eine halbe Sekunde. 2
   - Du fragst ihn/sie, ob er/sie auch zum Fußballstadion fährt. 4

2. Du interessierst dich sehr für einen neuen Mitschüler / eine neue Mitschülerin. Der/Die ist aber ziemlich schüchtern.
   - Du sagst, dass er/sie ein fantastisches T-Shirt anhat. 2
   - Du lädst ihn/sie in ein Café ein. 6
   - Du bietest ihm/ihr die Hälfte von deinem Schokoriegel an. 3

3. Du sitzt mit deinen Freunden im Café. Am Nebentisch sitzt ein Junge/Mädchen und sieht dich immer wieder an. Nach einer Stunde ist aber immer noch nicht mehr passiert.
   - Du denkst traurig, dass er/sie sich wahrscheinlich nicht für dich interessiert. 0
   - Du lächelst ihn/sie an, als er/sie dich wieder ansieht. 3
   - Du gehst zum Nebentisch und sprichst ihn/sie an. 6

4. An der Bushaltestelle stolperst du über einen süßen kleinen Hund. Sein Herrchen / Frauchen ist aber auch süß.
   - Du streichelst den Hund. 4
   - Du sagst „Hoppala" und lächelst beide an. 3
   - Du fragst sein Herrchen/Frauchen, wie der Hund heißt. 6

5. Auf der Party fragt dich ein charmanter Junge / charmantes Mädchen, wo der Orangensaft steht.

Du holst ihm/ihr ein Glas Orangensaft.	4
Du sagst zu ihm/ihr, er/sie soll lieber Limo trinken. Die schmeckt viel besser.	2
Du sagst ihm/ihr, in welchem Zimmer die Getränke stehen.	0

34-26 Punkte: Für dich ist Flirten fast schon ein Sport. Du probierst es überall aus. Aber es funktioniert nicht immer. Manche Jungen/Mädchen interessieren sich nicht für dich. Sie kennen deine Tricks.

25-15 Punkte: Du wartest nicht, bis jemand dich anspricht. Du fängst einen Flirt selbst an. Und du weißt, dass ein Lächeln wichtig ist.

15-9 Punkte: Du bist nicht sehr mutig, und deshalb fängst du nie einen Flirt an. Du wartest immer auf den anderen / die andere. Schade! Denn so geht manche schöne Gelegenheit vorbei.

Lernwortschatz

So können Personen und Sachen sein:

hübsch	schön	doof
hässlich	gut	langweilig
toll	elegant	entsetzlich
herrlich	blöd	

So können nur Sachen sein:

lecker
heiß

Grammatik

1. Adjektiv

Nominativ Singular								
Maskulinum			Neutrum			Femininum		
de r	kleine	Bruder	da s	kleine	Haus	di e	kleine	Schwester
ein	kleine r	Bruder	ein	kleine s	Haus	eine	klein e	Schwester
mein	kleine r	Bruder	mein	kleine s	Haus	meine	klein e	Schwester
kein	kleine r	Bruder	kein	kleine s	Haus	keine	klein e	Schwester

Nominativ Plural

di e	kleine n	Kinder
–	kleine	Kinder
meine	kleine n	Kinder
keine	kleine n	Kinder

Akkusativ Singular

de n	kleine n	Bruder		
eine n	kleine n	Bruder		
meine n	kleine n	Bruder	*wie Nominativ*	*wie Nominativ*
keine n	kleine n	Bruder		

Akkusativ Plural

wie Nominativ

Dativ Singular

de m	kleine n	Bruder	de m	kleine n	Haus	de r	kleine n	Schwester
eine m	kleine n	Bruder	eine m	kleine n	Haus	eine r	kleine n	Schwester
meine m	kleine n	Bruder	meine m	kleine n	Haus	meine r	kleine n	Schwester
keine m	kleine n	Bruder	keine m	kleine n	Haus	keine r	kleine n	Schwester

Dativ Plural

de n	kleine n	Kindern
–	kleine n	Kindern
meine n	kleine n	Kindern
keine n	kleine n	Kindern

2. Personalpronomen: Akkusativ

Ich kenne	mich	doch!
	dich	
	ihn/es/sie	
	uns	
	euch	
	sie/Sie	

Themenkreis
Ferien und Freizeit

Das lernst du:

- einen Reiseprospekt verstehen
- einen Fahrplan lesen
- sich auf dem Bahnhof orientieren
- eine Fahrkarte kaufen
- eine Reise planen und organisieren
- sich in der Stadt orientieren
- über Land und Leute sprechen
- eine Meinung äußern
- nach dem Weg fragen und den Weg beschreiben
- etwas über die Stadt Berlin und ihre Geschichte
- Gebäude und Geschäfte in der Stadt

2 10

a) Wo passiert was?
Wo sind die Personen von Dialog 1, 2, 3, 4 und 5?
Suche sie auf dem Bild oben.

b) Wo ist
- der Fahrkartenschalter?
- der Bahnsteig 7?
- das Blumengeschäft?
- der Zeitungskiosk?
- die Bahnhofstoilette?

A Reisevorbereitungen

1. Jugendfreizeit – Sommerprogramm

Tipp
Schau dir zuerst die Bilder an und die Wörter, die hervorgehoben sind. Das hilft dir, den Text zu verstehen.

Sagone Korsika

Fahrtroute: Busfahrt ab München nach Italien, Überfahrt mit der Fähre nach Korsika, Weiterfahrt mit dem Bus zum Zeltplatz

Alter: 15–18 Jahre

Termin: 26.8.–14.9.

Kosten: 549,– €

Leistungen: Busfahrt und Fähre, Unterkunft in Zelten, Vollverpflegung zur Selbstzubereitung durch die Gruppe, Betreuung und Freizeitangebote, ein Teil der Programmkosten, Haftpflicht- und Unfallversicherung

Ferien zwischen Bergen und Meer

Auch in diesem Sommer sind wir wieder in Korsika! Eine herrliche Insel: dort gibt es wilde Felsen und einsame Buchten, weite Sandstrände, große Wälder

und abenteuerliche Gebirge mit Blick aufs Meer. Auf Korsika kann man wirklich viel unternehmen: baden, tauchen, bergwandern ...

Unser Zeltlager hat ein Haus mit Toiletten und Duschen, ein Küchenzelt mit Essplatz, einen Volleyballplatz und große Schlafzelte. Der Sandstrand liegt etwa fünf Minuten entfernt.

Mit zwei Kleinbussen kann unsere Gruppe Ausflugsfahrten ins Landesinnere oder entlang der Westküste machen. Im Camp gibt es Fahrräder, Surfbretter und eine Tischtennisplatte. In der Nähe kann man auch reiten oder Tennis spielen.

Beim Kochen helfen alle dem Koch und den Betreuern; gemeinsam macht's viel Spaß! Jeder Teilnehmer braucht einen Schlafsack und eine Isomatte oder eine Luftmatratze, eine Tasse, einen Essteller, Besteck und ein Geschirrtuch.

Grammatik

mit + Dativ	
mit dem	Bus
mit dem	Auto
mit der	Fähre

Irland

Mit dem Rad eine Insel entdecken

Diese Reise interessiert bestimmt abenteuerlustige und sportliche Jugendliche. Die Teilnehmer (natürlich mit erwachsenen Begleitern) bereisen einen Teil Irlands mit dem Rad.
Die Gruppe übernachtet auf Campingplätzen (in Zweimannzelten) oder in Jugendherbergen.
Jeder Teilnehmer braucht deshalb einen Schlafsack, eine Isomatte , Essgeschirr usw. (Eine genaue Liste bekommt ihr bei der Anmeldung.)

Fahrt: Transfer München – Dublin – München mit Flug oder Bus/Fähre
Alter: 13-18 Jahre
Termin: 17. 8. – 4. 9.
Kosten: 790 Euro
Leistungen:
Transfer, Radtransfer, Campingplätze und Vollpension in Irland, Betreuung durch erfahrene Mitarbeiter, ein Teil der Programmkosten, Unfallversicherung
Mindestteilnehmerzahl: 6 Personen

a) Welche Informationen stehen im Text? Mach eine Tabelle und fülle sie aus:

Wohin?	*Fahrt mit ...*	*Was gibt es zu sehen?*	*Was braucht man?*	*Kosten*	*Übernachtung (Wie?/Wo?)*

b) Wähle eine der beiden Reisen für dich aus.
Was findest du im Programm (für dich) positiv/negativ?
Mach eine Liste.

c) Welche Reise möchtet ihr machen? Diskutiert in der Klasse.

Warum fahren wir nicht nach Korsika? Da kann man baden gehen!

Ich möchte aber lieber nach Irland! Rad fahren macht mir so viel Spaß!

... finde ich toll!
... ist interessant! / billig! / lustig! / bequem!
... habe ich noch nie gemacht!
... macht mir Spaß!

... interessiert mich nicht!
... ist mir egal!
... finde ich doof! / langweilig! / uninteressant!
... mag ich nicht!

d) Schreibt in Gruppenarbeit einen Werbetext für einen Reiseprospekt.

2. Urlaubspläne

2 11

- ● Du Petra, wohin fahren wir denn im Sommer?
- ▲ Also, ich möchte gern nach Korsika. Jan hat mir nämlich erzählt, dass da das Meer so toll ist!
- ● Ach so?
- ▲ Ja, und er hat auch gesagt, dass man da so billig zelten kann!
- ● Du willst nicht zufällig nach Korsika, weil Jan da Ferien macht?
- ▲ Quatsch!

a) Was stimmt? Was glaubst du?

Jan hat Petra erzählt,

a	dass das Meer in Korsika so toll ist.
b	dass man da billig zelten kann.
c	dass er nach Korsika fährt.

Petra möchte nach Korsika,

a	weil das Meer dort so toll ist.
b	weil man dort so billig zelten kann.
c	weil Jan nach Korsika fährt.

Grammatik

dass-Satz

Jan: „Da ist das Meer so toll!“

Petra: „Jan hat gesagt, **dass** da das Meer so toll ist.“

weil-Satz

Petra möchte nach Korsika. Jan macht da Ferien.

Petra möchte nach Korsika, **weil** Jan da Ferien macht.

b) Macht weitere Dialoge.

Griechenland	Das Wasser ist da so sauber.	
USA	Man lernt dort viele junge Leute kennen.	
Türkei	Das Wetter ist dort immer schön.	
Österreich	Da kann man	ganz tolle Radtouren machen.
Frankreich		phantastisch tauchen.
Italien		in tolle Discos gehen.
Spanien		sehr gut surfen.
...	...	

3. E-Mail

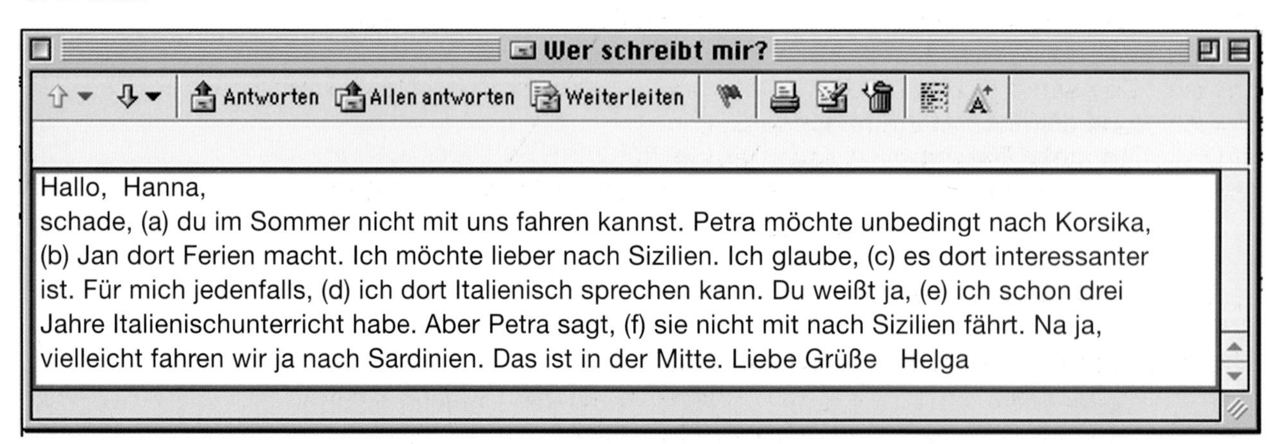

Wer schreibt mir?

Antworten Allen antworten Weiterleiten

Hallo, Hanna,
schade, (a) du im Sommer nicht mit uns fahren kannst. Petra möchte unbedingt nach Korsika, (b) Jan dort Ferien macht. Ich möchte lieber nach Sizilien. Ich glaube, (c) es dort interessanter ist. Für mich jedenfalls, (d) ich dort Italienisch sprechen kann. Du weißt ja, (e) ich schon drei Jahre Italienischunterricht habe. Aber Petra sagt, (f) sie nicht mit nach Sizilien fährt. Na ja, vielleicht fahren wir ja nach Sardinien. Das ist in der Mitte. Liebe Grüße Helga

Setz ein: dass = 5 weil = 7

Rechenrätsel: a + b - c - d + e + f = 10

4. Zu viel Gepäck! Jedes Jahr dasselbe Theater!

12

Hör zu. Schreib so: Richtig (r) / Falsch (f) / Ich weiß nicht (?).

a) Was nimmt Theresa mit?
- ihren Cassettenrecorder
- Rollschuhe
- ihren Teddy
- Bücher

b) Was nimmt Markus mit?
- sein Strickzeug
- seinen Cassettenrecorder
- einen Rucksack
- das Schlauchboot

c) Was muss zu Hause bleiben?
- die Rollschuhe
- der Teddy
- das Strickzeug
- der Rucksack

5. Die Nachbarn hören mit

a) Die Nachbarn hören das Gespräch. Sie verstehen aber nicht alles. Habt ihr alles verstanden? Hört den Dialog oben noch einmal. Ergänzt die Sätze. Schreibt ins Heft.

Vater: Jedes Mal dasselbe Theater: ... ...!
Mutter: Also, Papi hat Recht. Der ... zum Beispiel ... ... mit.
Markus: Wie soll ich denn ... ...?
Mutter: Du kannst ja auch mal ... ... ohne ... auskommen! Der Recorder ... ...!
Vater: Und die Rollschuhe müssen raus!
Theresa: Oh, nein! Die habe ich doch gerade ... ...!
Markus: Und wo bitte ... ... Rollschuh laufen? Am ... vielleicht?

b) Ordne die Satzteile. Wer sagt das?

??? sagt, dass (sie – haben – zu viel Gepäck)
??? meint, dass (auch mal – Markus – kann – auskommen – ohne Musik)
??? glaubt, dass (braucht – seinen Cassettenrecorder – unbedingt – er)
??? möchte nicht, dass (mitkommen – die Rollschuhe)
??? findet es schade, dass (sie – darf – die Rollschuhe – nicht – mitnehmen)

6. Liste für den Campingurlaub

Lukas, Martin, Christian und Sebastian machen eine Woche Campingurlaub am Bodensee.
Diese Sachen wollen sie mitnehmen.

a) Was fehlt noch? Was meint ihr?

b) Was brauchen sie wirklich?
Was brauchen sie nicht? Diskutiert in der Klasse.

Die Schlafsäcke brauchen sie unbedingt!

Den Tesafilm brauchen sie doch nicht!

Doch! ...

7. Mondreise

Ihr fliegt zum Mond. Ihr dürft aber nur drei Dinge mitnehmen. Was nehmt ihr mit? Und warum? Diskutiert in der Klasse.

Auf dem Mond brauche ich ..., weil ...
Für mich ist ... am wichtigsten.

Ich kann nicht ohne	meinen ...	sein.
	mein ...	schlafen.
	meine ...	leben.

Ich glaube, dass es auf dem Mond sehr ... ist.

Die anderen sagen natürlich auch ihre Meinung:

Was? Brauchst du denn	keinen ...?
	kein ...?
	keine ...?

Hast du keinen	Hunger?
	Durst?

Ich meine, dass ... viel	wichtiger	ist.
	notwendiger	sind.

Grammatik

ohne + Akkusativ

Ohne	meinen	Hund	fahre ich nicht in die Ferien.
	ein	Lexikon	
	meine	Schultasche	
	die	Turnschuhe	

8. E-Mail

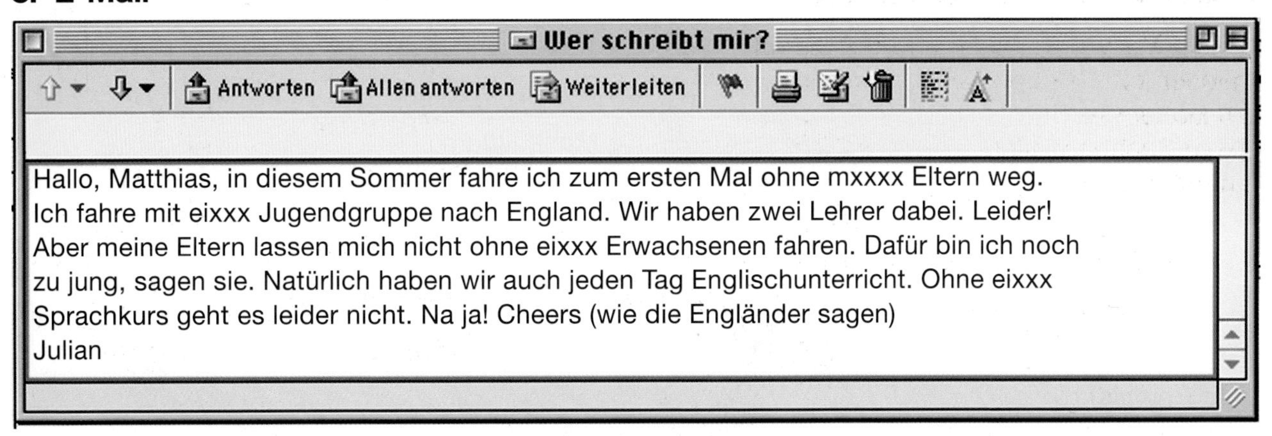
Wer schreibt mir?

Antworten Allen antworten Weiterleiten

Hallo, Matthias, in diesem Sommer fahre ich zum ersten Mal ohne mxxxx Eltern weg.
Ich fahre mit eixxx Jugendgruppe nach England. Wir haben zwei Lehrer dabei. Leider!
Aber meine Eltern lassen mich nicht ohne eixxx Erwachsenen fahren. Dafür bin ich noch
zu jung, sagen sie. Natürlich haben wir auch jeden Tag Englischunterricht. Ohne eixxx
Sprachkurs geht es leider nicht. Na ja! Cheers (wie die Engländer sagen)
Julian

B Am Bahnhof

1. Am Schalter

- ● Bitte, eine Fahrkarte nach Dortmund.
- ▲ Einfach oder hin und zurück?
- ● Hin und zurück, bitte. Zweiter Klasse.
- ▲ Das macht 170 Euro.
- ● Entschuldigen Sie, jetzt fährt doch gleich ein Zug, um 14.48 Uhr, oder?
- ▲ Richtig. Das ist aber ein EC. Da müssen Sie einen Zuschlag zahlen.
- ● Na ja! Dann eben mit Zuschlag. Auf welchem Gleis fährt er denn ab?
- ▲ Der fährt ... Moment ... auf Gleis 13.
- ● Danke schön.

Macht weitere Dialoge. Schaut auf den Fahrplan. (Nur für IC und EC braucht man einen Zuschlag.)

Fahrplan

Zeit	Zug	Richtung	Gleis
14.21	*IC* 119 ✕	*Karwendel* Weilheim 14.55 — Murnau 15.19 — Garmisch-Partenkirchen 15.15 — Mittenwald 16.31 — Seefeld i.T. 16.59 — **Innsbruck 17.40**	24
14.26	*IR* 2192 🍴 1 2 🚲 1)	Mü-Pasing ab 14.33 — Augsburg 14.55 — Ulm 15.37 — Stuttgart 16.44 — **Karlsruhe 17.50**	17
14.30	*D* 283 1 🚲 9)	Rosenheim 15.08 — Kufstein 15.31 — Wörgl 15.43 — Jenbach 15.59 — **Innsbruck 16.20**	16

Zeit	Zug	Richtung	Gleis
⑤ 14.38	*E* 3960	**Buchloe 15.26**	31
14.44	*ICE* 594 ✕	*Hohenstaufen* Augsburg 15.10 — Ulm 15.51 — Stuttgart 16.49 — Mannheim 17.32 — **Frankfurt (Main) 18.13** — Hamburg-Altona 22.09	12
14.44	*IC* 704 ✕	*Sophie Scholl* Ingolstadt 15.21 — Nürnberg 16.25 — Bamberg 17.12 — Jena 19.31 — Leipzig 20.47 — Schönef. ✈ 23.06 — **Berlin Hbf 23.32**	23

Fahrpreise

	Einfach	Hin und Zurück
München – Frankfurt	67,– €	134,– €
(ICE)	74,– €	148,– €
München – Stuttgart	31,– €	62,– €
München – Berlin	99,– €	198,– €
München – Nürnberg	29,– €	58,– €

Zuschlag
IC 4,– € pro Fahrt
EC 4,– € pro Fahrt

2. Durchsage am Bahnhof

a) Ihr fahrt nach Berlin. Ist die Durchsage für euch wichtig?
b) Wann fährt der Intercity *Sophie Scholl* normalerweise ab?
c) Fährt er heute früher, später oder pünktlich ab?
d) Auf welchem Gleis fährt der Zug nach Dresden ab?

3. Schilder am Bahnhof

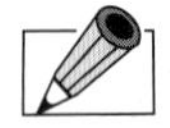

Erfindet witzige Schilder, zum Beispiel:

Benutzen der Schulbücher auf eigene Gefahr!

Betreten der Schule strengstens verboten!

Grammatik

Genitiv Singular	Genitiv Plural
Maskulinum des / eines – Gepäckraum s Neutrum des / eines – Fenster s Femininum der / eine r – Rolltreppe	der / –* – Gleise

aber: der Junge: das Fahrrad des Junge n
der Herr: der Koffer des Herr n

* Form existiert nicht.

C *Im Zugabteil*

1. Miriam ist unterwegs

Hör zu. Schau auch auf den Plan rechts.
Woher kommen die Leute, und wohin fahren sie?

a) Miriam kommt aus München und fährt nach ___
b) Tommy ___
c) Der andere Junge ___
d) Die Dame ___
e) Der Mann ___

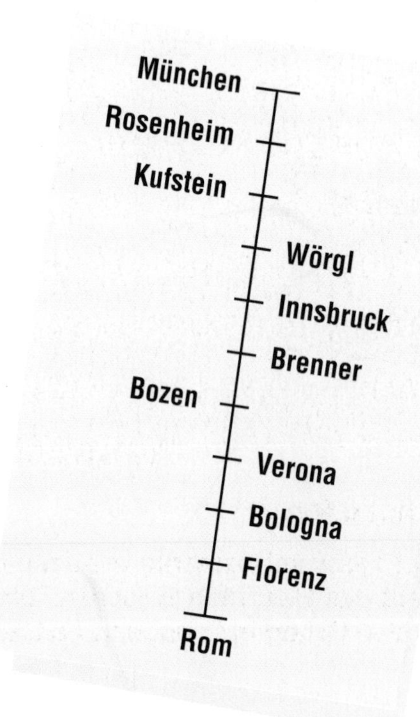

2. Wem gehört was?

Seht euch das Bild auf S.119 zwanzig Sekunden an. Deckt es dann zu. Ein Schüler deckt das Bild nicht zu und fragt zum Beispiel: „Wem gehört das Buch?" Die anderen antworten.
Wer falsch antwortet, scheidet aus. Wer zuerst richtig antwortet, bekommt einen Punkt.

Wem gehört/gehören ...

der Reiseführer von Florenz, CD-Spieler, Hut, Füller, Bleistift, Kalender, Rucksack

das Taschentuch, Comic-Heft

die Tolex-Armbanduhr, Zeitschrift, Handtasche

die Schier

(⚠Nominativ: der Junge / Dativ: dem Jungen)

3. Sympathien

Ihr habt bestimmt bemerkt: Miriam findet Tommy sehr nett. Sie ist ihm auch sehr sympathisch.
Wie geht das Gespräch zwischen Tommy und Miriam weiter?
Macht den Dialog in Gruppenarbeit, und spielt ihn vor der Klasse.

4. Reiseimpressionen

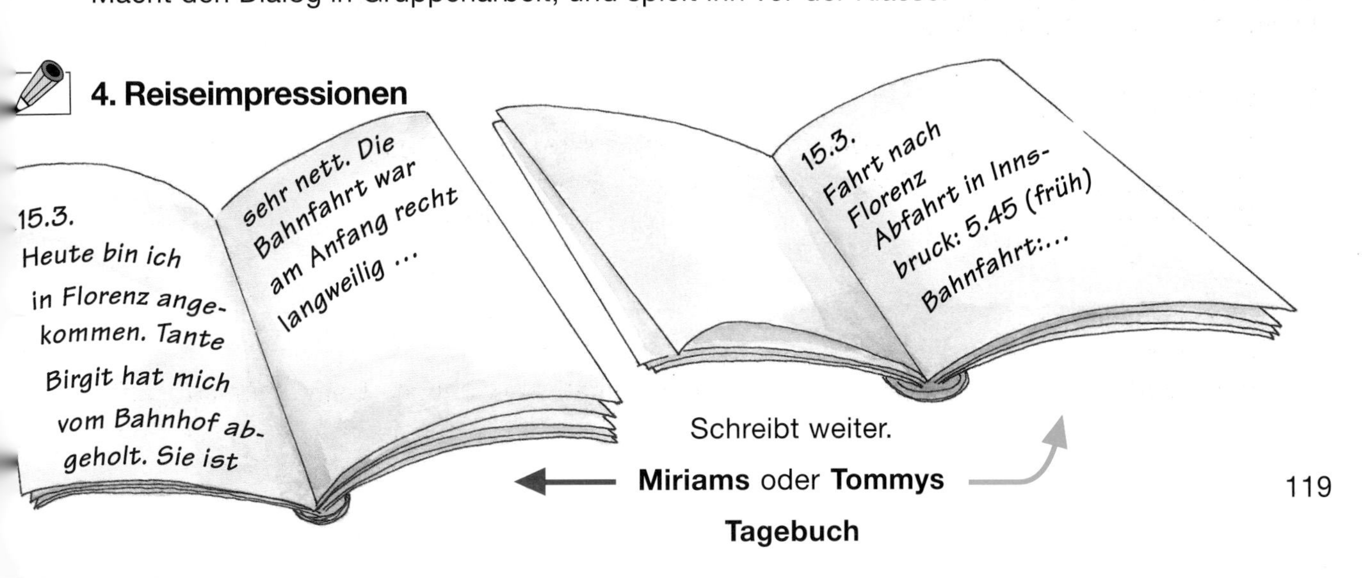

15.3.
Heute bin ich in Florenz angekommen. Tante Birgit hat mich vom Bahnhof abgeholt. Sie ist
sehr nett. Die Bahnfahrt war am Anfang recht langweilig ...
15.3.
Fahrt nach Florenz
Abfahrt in Innsbruck: 5.45 (früh)
Bahnfahrt:...

Schreibt weiter.

Miriams oder **Tommys**

Tagebuch

5. Im anderen Abteil

Micky und Matze sind in Wörgl eingestiegen. In ihrem Abteil ist es ziemlich eng. Da sind Berge von Koffern. Und außerdem sind sie zu fünft im Abteil: Micky, Matze, eine ältere Dame und zwei junge Mädchen, das eine blond, das andere dunkel und beide sehr hübsch. „Na, ihr beiden!" fängt Micky ein Gespräch an. „Ihr habt wohl eine längere Reise vor?" „Wir? Nein. Wir steigen an der nächsten Station aus", antwortet die Dunkle. „Schade", sagt Matze. „Na ja, da kann man nichts machen." Aus dem Lautsprecher kommt eine Stimme: „Meine Damen und Herren, in Kürze erreichen wir Innsbruck." Die beiden Mädchen stehen auf. „Los, komm, wir helfen ihnen!", sagt Micky leise zu Matze. „Können wir euch helfen?", fragt er charmant. „Wem? Uns?", fragt die Blonde verblüfft zurück. Aber Micky ist nicht mehr zu bremsen. Er holt drei Koffer von der Gepäckablage und macht sich auf den Weg zur Tür. Da hört er eine Stimme: „Junger Mann, was fällt Ihnen ein! Legen Sie sofort meine Koffer wieder hinauf!" „Wa-wa-was?", stottert Micky. „Die Koffer gehören Ihnen?" Die beiden Mädchen lachen: „Ja, so kann's gehen. Wir haben nämlich gar kein Gepäck. Tschüs!" Und sie gehen lachend hinaus.

a) Lies die Geschichte noch einmal.
Ordne die Sätze.

- ? Micky möchte den beiden Mädchen helfen.
- 1 Micky und Matze steigen in Wörgl ein.
- ? Die Mädchen haben gar kein Gepäck.
- ? Im Abteil sitzen schon drei Personen.
- ? Die Dame wird wütend.
- ? Micky spricht die zwei Mädchen an.
- ? Aber das sind die Koffer der älteren Dame.
- ? Die Mädchen steigen in Innsbruck aus.
- ? Er nimmt drei Koffer und will sie hinaustragen.

b) Die beiden Mädchen erzählen ihren Freunden ihr Erlebnis im Zug:

Stellt euch vor, was uns passiert ist. Wir sind mit dem Zug von München nach Innsbruck gefahren. In unserem Abteil war eine ältere Dame. Sie hatte sehr viel Gepäck. In Wörgl sind dann zwei Jungen eingestiegen ...

Wie geht es weiter? Mach Notizen und erzähl dann deinem Partner.

Grammatik

Dativ (Singular und Plural)

Die Koffer gehören	mir.
	dir.
	ihm/ihr.
	uns.
	euch.
	ihnen/Ihnen.

6. Der neugierige Mitreisende

■ Darf ich dich mal was fragen?
▲ Ja, bitte.
■ Wo ist denn deine Familie?
▲ Im Speisewagen.
■ Aha. Wohin fahrt ihr denn?
▲ Nach Rom.
■ Warum fahrt ihr nicht mit dem Auto nach Rom?
▲ Das ist (a) zu weit.
■ Machen deine Eltern gern Ferien in Italien?
▲ Ja, das Meer und die Städte gefallen (b) sehr gut.
■ Und wie gefällt (c) Kindern Italien?
▲ Na ja, Schwimmen finden wir super. Aber die vielen Museen in Florenz ...
■ Isst du gern Italienisch? Wie schmecken (d) zum Beispiel Spaghetti?
▲ Spaghetti mag ich gern, und Pizza schmeckt (e) auch.
■ Und dein Bruder? Mag er auch gern Pizza?
▲ Ja, Pizza schmeckt (f) sehr.
■ Ist das der Koffer deiner Schwester?
▲ Ja, der gehört (g). Warum?
■ Nur so.
▲ Darf ich Sie auch mal was fragen?
■ Ja, bitte!
▲ Macht (h) Fragen Spaß?

Setz ein:				
	mir	1	uns	5
	dir	2	euch	6
	ihm	3	ihnen	7
	ihr	4	Ihnen	8

Rechenrätsel:
a + b + c - d - e + f + g + h = 30

Na so was!

Psychotest: Fährst du gern in die Ferien?

Schau die Bilder genau an. Entscheide dich für eine der drei Aussagen und zähle die Punkte zusammen.

2 Die soll mal weggehen. Ich kann den Fahrplan nicht lesen.
4 Wohin fährt sie wohl? Egal!
6 Ich passe genau auf, wohin sie fährt. Den Zug nehme ich auch.

2 Ich nehme mein Gepäck wieder runter und gehe nach Hause.
4 Diese Gepäckablagen sind immer zu klein.
6 Jetzt habe ich doch den falschen Koffer mitgenommen. Na ja.

2 Ich bin ja so traurig, weil wir in die Ferien fahren.
4 Die Würstchen sind ganz traurig, weil wir wegfahren.
6 Ich bin traurig, weil du dableiben musst.

2 Danke, wir tragen unsere Sachen selbst.
4 Wir reisen immer mit wenig Gepäck.
6 Können Sie uns die Koffer tragen?

Auswertung

8 – 13 Punkte
Komm nur nicht in die Nähe eines Bahnhofs oder Flugplatzes. Du bist so traurig, wenn du wegfahren musst, dass alle Leute gleich mit dir weinen.

14 – 19 Punkte
Du fährst ganz gern in die Ferien. Du bleibst aber genauso gern zu Hause. Dir ist eigentlich alles egal.

20 – 24 Punkte
Du bist der absolute Reisefreak. Dir ist egal, wohin die Reise geht. Hauptsache, möglichst weit weg!

Lesen

Ferienflirt mit Hindernissen

Udo macht Schiferien in Axam bei Innsbruck. Schifahren ist in Österreich, Deutschland und in der Schweiz der beliebteste Wintersport. Auf der Piste sind viele Leute. Die Restaurants und Hotels sind überfüllt. Auch die kleine Diskothek, das „Après Ski", ist immer voll. Man kann nicht tanzen. Nur stehen, seine Arme und Beine ein bisschen bewegen – Vorsicht! – und Leute sehen, die Cola und Bier trinken. Na toll!
Udo fährt gut Schi. Im Schikurs ist er am besten. Er ist ein Ass.
Da ist ein Mädchen. Es heißt Yvonne. Udo findet Yvonne toll, super, prima und so weiter. Aber Udo kann machen, was er will – Yvonne sieht ihn nicht. Wenn er die Piste runterfährt wie der Blitz und schreit: „Vorsicht, ich komme!" Wenn er auf den Bauch fällt und auf die Nase ... nichts zu machen. Findet Yvonne ihn langweilig? Doof? Armer Udo!
Am Samstag treffen sich die Jungen und Mädchen aus der Schischule im „Après Ski". Udo ist auch da. Wo ist Yvonne? Da steht sie, trinkt Cola und redet mit Freunden. Wenn man hier reden kann. Die Musik ist sehr laut.
„Ha!", denkt Udo. „Jetzt zeige ich Yvonne, wie gut ich tanzen kann!"
Aber so einfach ist das nicht. Das „Après Ski" ist überfüllt. Überall stehen Leute. Udo kann nicht tanzen, auch wenn er ein Supertänzer ist.
Aber Udo hat eine Idee. Er steigt auf einen Tisch. Da ist Platz. Nur ein paar Gläser und Flaschen, keine Leute.
„He!", sagt ein Mann. Aber Udo hört nicht. Er tanzt. Hip-Hop kann er am besten. Alle gucken.
„Wer ist das?", fragen sie. „Der tanzt ja super!"
Schaut Yvonne auch? Nein. Sie unterhält sich. Udo schaut Yvonne an, aber Yvonne spricht.
Udo passt nicht auf – und fällt auf den Boden.
„Oh, uh!", sagt Udo. Sein Bein tut weh, sein Kopf und seine Hände auch. Jetzt schaut Yvonne – na endlich!
Udo kann nicht mehr tanzen. Das Bein ist gebrochen: Man ruft einen Arzt. Udo muss ins Krankenhaus.
Am nächsten Tag.
Die Tür geht auf. Es ist Yvonne!
„Hallo, Udo", sagt sie. „Na, wie geht´s?"
„Ach", sagt Udo, „jetzt geht es mir gut."
„Ja?", fragt Yvonne und lacht. „Armer Udo. Steigst du immer auf den Tisch, wenn du tanzen willst?"
„Nein." Udo wird rot. „Ich – äh – ich mache das nur, wenn ich – äh – ein Mädchen mag."
Yvonne lacht. „Aha, ich verstehe. Weißt du was? Das nächste Mal musst du nicht auf einen Tisch steigen und dir das Bein brechen. Besser, du kommst zu mir und sagst: ‚Hallo, möchtest du eine Cola mit mir trinken?' Das ist mir doch lieber!"

Richtig oder falsch?

1. Udo macht Schiurlaub in Deutschland.
2. Im „Après Ski" ist die Musik sehr laut.
3. Udo fällt vom Tisch. Seine Hand ist gebrochen.
4. Die Disco ist abends immer voll. Auf allen Tischen stehen Leute.
5. Nur wenn Udo ein Mädchen mag, macht er verrückte Sachen.
6. Man hat keinen Platz, wenn man tanzen will.
7. Wenn Udo Schi fährt, sieht Yvonne ihn nicht.

Tipp
Sieh dir die Überschrift an und lies den ersten Abschnitt. Er enthält meist wichtige Informationen.

Lernwortschatz

Wortschatz

auf dem Bahnhof

der Fahrkartenschalter
der Bahnsteig
die Bahnhofstoilette
das Blumengeschäft
der Zeitungskiosk

der Zug
das Gleis
die Durchsage
der Fahrplan
die Fahrkarte
der Zuschlag
das Zugabteil
Erster/Zweiter Klasse

eine Fahrkarte kaufen

■ Bitte, eine Fahrkarte nach ...
▲ Einfach oder hin und zurück?
■ Hin und zurück/ Einfach, bitte. Erster/Zweiter Klasse.
▲ Das macht ... Euro.

■ Auf welchem Gleis fährt der Zug denn ab?
▲ Der fährt auf Gleis ...
■ Danke schön.

eine Reise planen und organisieren:

Wohin fahren wir den Ferien / im Sommer ...?

Ich möchte gern nach Spanien / auf eine Insel ... fahren.
Ich möchte nach Spanien, weil man da surfen kann.
Mein Freund sagt, dass man in Spanien surfen kann.

Grammatik

Grammatik

1. Präpositionen

a) mit + Dativ

Singular			Plural
Maskulinum	Neutrum	Femininum	
Wir fahren mit ... dem Kleinbus.	Wir fahren mit ... dem Auto.	Wir fahren mit ... der Fähre.	Wir fahren mit ... den Fahrrädern.

b) ohne + Akkusativ

Singular			Plural
Maskulinum	Neutrum	Femininum	
ohne ... den /einen Koffer	ohne ... das /ein Zelt	ohne ... die /eine Kamera	ohne ... die /- Rollschuhe

2. Satz: Nebensatz mit dass/weil

		Jan macht	in Spanien Ferien.	
Jan hat gesagt,	**dass**	er	in Spanien Ferien	macht.
Petra weiß,	**dass**	er	in Spanien Ferien	macht.
Sie findet es toll,	**dass**	er	in Spanien Ferien	macht.
Petra fährt nach Spanien,	**weil**	Jan	dort Ferien	macht.

		Petra möchte	in Spanien Ferien machen.
Sabine findet es nicht gut,	**dass**	Petra	in Spanien Ferien machen möchte.

		Petra geht	heute Abend mit Jan aus.
Petra freut sich,	**weil**	sie	heute Abend mit Jan ausgeht.

3. Nomen: Genitiv

Singular			Plural
Maskulinum	Neutrum	Femininum	
des / eines Koffers	des / eines Autos	der / einer Tasche	der / –* Kinder

* kein Genitiv, aber: von Kindern

4. Personalpronomen: Dativ (Singular und Plural)

Die Koffer gehören	mir.	
Ich helfe	dir.	
Das schmeckt	ihm/ihr	nicht.
Könnt ihr	uns	euer Zelt leihen?
Können wir	euch	helfen?
Die Koffer gehören	ihnen/Ihnen.	

Unterwegs

11

Die Leute sind unterwegs. Wo sind sie?
Und wie setzen sie ihre Reise wohl fort?

Wie möchtest du gern reisen?

A Wir fahren weg!

1. Was willst du eigentlich?

▲ Stellt euch vor, wir kriegen Onkel Helmuts Wohnmobil in den Ferien! Da können wir mal so richtig toll Urlaub machen!
■ Super! Fahren wir doch ans Mittelmeer!
● Ach, am Mittelmeer ist es viel zu heiß.
▲ Oder auf eine Insel, Rhodos oder so.
● Insel!? Was soll ich denn auf einer Insel?
▲ Dann fahren wir doch nach Frankreich!
● Ach, da verstehe ich ja nichts! Ich kann kein Französisch.
▲ Dann eben in die Alpen.
● In den Alpen regnet es doch immer. Das weiß doch jeder!
▲ In den Schwarzwald vielleicht???
● Im Schwarzwald kann man ja nur wandern. Und das hasse ich.
▲ Sag mal, was willst du denn eigentlich?
● Ich will zu Hause bleiben und meine Ruhe haben!

Macht weitere Dialoge.

▲/■	●
Ägypten	... gibt es doch nur Sand.
USA	... kann man nur Hamburger essen, und die mag ich nicht!
der Rhein	... sind immer so viele Touristen!
das Fichtelgebirge	... ist es langweilig.
die Zugspitze	... liegt sicher Schnee, und mir ist immer so kalt.

Wohin fährst/gehst/steigst/fliegst du?

Ich fahre auf die Straße.
Ich schwimme in die Bucht.

in	in den Schwarzwald Harz Bayerischen Wald	ins (= in das) Fichtelgebirge Grödnertal Ruhrgebiet	in die Eifel Schweiz Lüneburger Heide	in die *(Plural)* Alpen Berge USA
an	an den Rhein Bodensee	ans (= an das) Mittelmeer Meer	an die Ostsee Nordsee	an die *(Plural)* Fränkischen Seen Mecklenburger Seen
auf	auf den Feldberg	aufs (= auf das) Land	auf die Insel Mainau	auf die *(Plural)* Seychellen
nach	Hamburg, Wien, Deutschland, Australien, Sizilien, Korsika ...			
zu	Oma, Petra, Tante Erika			

2. Wollen wir tauschen?

17

- ● Ich fahre dieses Jahr nach Südtirol.
- ▲ Du hast es gut! Wir sind bei meiner Oma, am Wörthersee. Wie immer!
- ● Ja, glaubst du denn, wir sind zum ersten Mal in Südtirol? Da fahren wir jetzt schon seit Jahren hin.
- ▲ Wollen wir tauschen?
- ● Schön wär's!

Macht weitere Dialoge. Schaut auch in der Liste nach.

●	▲
der Chiemsee	der Bayerische Wald
das Grödnertal	das Allgäu
die Insel Mainau	die Ostsee
...	...

Wo bist/wohnst/liegst/stehst du?
Wo machst du etwas?

Ich fahre auf der Straße.
Ich schwimme in der Bucht.

in	im (= in dem) Himalaya Dschungel Stadtpark	im (= in dem) Gebirge Allgäu Ruhrgebiet	in der Sahara Ukraine Türkei	in den *(Plural)* Bergen Alpen USA
an	am (= an dem) Main Wörthersee	am (= an dem) Mittelmeer Meer	an der Ostsee Donau	an den *(Plural)* Plitvicer Seen Mecklenburger Seen
auf	auf dem Mount Everest Mond	auf dem Land Matterhorn	auf der Insel Elba Zugspitze	auf den *(Plural)* Inseln Fidschiinseln
in	Paris, Bad Homburg, Österreich, Afrika, Sizilien, Zypern ...			
bei	Tante Erika, Klaus ...			

3. Wir reden in der Gruppe

Schreibt Fragekarten: *Wohin?* *Wo?* *Mit wem?* *Wann?* *Wie?*

Schreibt auch eine große Karte: *Reisen*

a) Macht Gruppen. Legt die Fragekarten verdeckt auf den Tisch. Einer zieht eine Karte und stellt eine Frage; ein anderer antwortet.

Beispiel:
Wohin fährst du in den Ferien? – In die Berge. / Ans Meer. / Nach Griechenland. /...
Wo warst du in den Ferien? – In den Bergen. / Am Meer. / In Griechenland. / ...

4. Deutsche Jugendherbergen

Deutsches Jugendherbergswerk 

Willkommen beim DJH

Jugendherbergen sind immer ein Erlebnis: Freizeit, Ferien, Sport und moderne, gastfreundliche Häuser – das alles und gar nicht teuer! Hier treffen sich Radfahrer, Interrailer, Schulklassen, Vereine, Familien und viele junge Leute.
Wisst ihr eigentlich, dass die „Jugendherberge“ eine deutsche Erfindung ist? Das war 1909! Die älteste Jugendherberge der Welt befindet sich in der Burg Altena bei Dortmund.

Burg Altena

Adresse	Fritz-Thomee-Str. 80 58762 Altena
Kontakt	Frau Heidi Weller
Sport & Freizeit	Tischtennis, Schwimmbad, Museum Burg Altena, Dechenhöhle, Heinrichshöhle
Lage	Die JH liegt in der Stadtmitte.
Anreise	Bundesbahn 15 Min. Fußweg oder über Autobahn A 45

a) Stell deinem Partner Fragen zum Text: Wer? Was? Wie? Wo? Wen?
b) Du möchtest mit deinen Freunden/ mit deiner Klasse wegfahren. Schreib eine E-Mail an die Jugendherberge Burg Altena. Gib an: wann, wie lange, wie viele Personen, ...

5. Camping oder Jugendherberge?

a) Spiel

Vorbereitung:

Sammelt Argumente für/gegen Campingurlaub und für/gegen Urlaub mit Übernachtungen in Jugendherbergen.

Schreibt jedes Argument auf eine Karte mit einer Zahl von 1 bis 6, zum Beispiel:

2 Campingurlaub ist lustig.

4 Die Jugendherberge ist bequemer.

3 Jugendherbergen sind meistens in einer Stadt, und ich mag lieber Ferien in der Natur.

6 Im Zelt sind immer Käfer.

So geht das Spiel:

Jeder Mitspieler wählt seinen Weg, Ziel „Campingplatz“ oder Ziel „Jugendherberge“, und setzt seinen Stein auf Start. Dann würfelt man. Wenn ein Spieler auf ein rotes Feld kommt, muss er eine Argumentekarte ziehen. Wenn das Argument ...

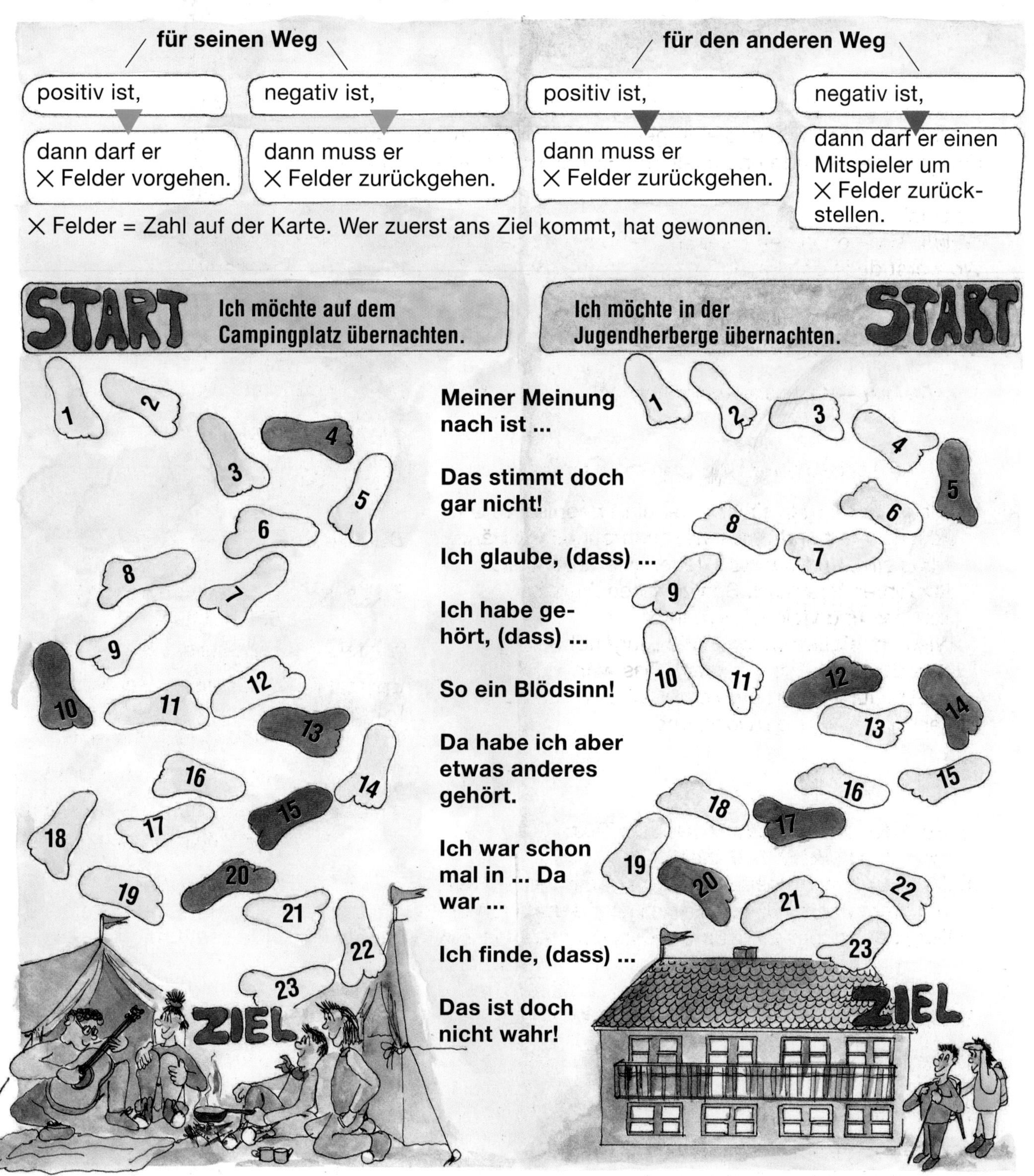

b) Diskussion – Ihr möchtet zusammen in die Ferien fahren, habt aber noch nicht entschieden, wo ihr übernachten möchtet. In Jugendherbergen? Oder lieber auf dem Campingplatz? Diskutiert in der Klasse. Verwendet auch die Redewendungen auf dem Spielplan.

6. Hör zu und sprich die Antworten laut.

a) Wo ist er/sie?
b) Wohin geht oder fährt er/sie?

7. Unordnung

● Mami, wo ist denn der Flaschenöffner?
▲ Ach, Fabian! Ich habe ihn doch auf den Tisch gelegt!
● Er liegt aber nicht auf dem Tisch!
▲ Na so was!

Macht weitere Dialoge.

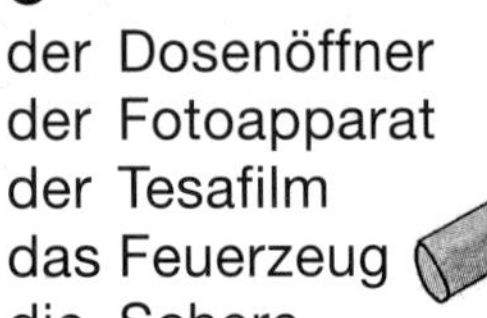

●	▲		●	
der Dosenöffner	auf	den Schrank	auf	dem Schrank
der Fotoapparat	unter	das Bett	unter	dem Bett
der Tesafilm	in	die Schublade	in	der Schublade
das Feuerzeug	hinter	...	hinter	...
die Schere	vor		vor	
die Streichhölzer	neben		neben	

⚠ ins (in das)
im (in dem)

Grammatik

Das Buch liegt auf dem Tisch.

Leg das Buch auf den Tisch.

Das Buch steht im Regal.
Dativ

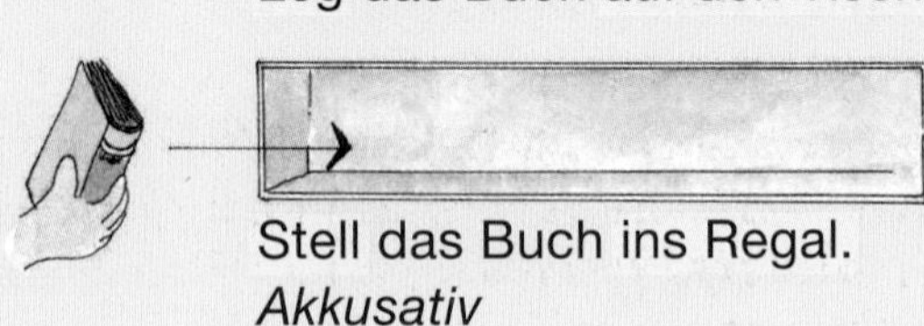

Stell das Buch ins Regal.
Akkusativ

8. Wo steht denn ...?

● Wo steht denn die Flasche?
▲ Ich habe sie auf den Tisch gestellt.
● Da ist sie aber nicht mehr.

Macht weitere Dialoge.

●	▲
der Rasenmäher	die Garage
das Fahrrad	das Haus
die Dose	der Schrank
...	...

9. Wieder einpacken!

● Mist! Warum müssen wir morgen wieder heimfahren? Ich hasse Kofferpacken! ... Da liegt übrigens dein Buch, Micha!
▲ Ach, ja! Leg es mir doch bitte auf den Tisch!
● Jetzt darf ich nicht nur packen, sondern auch noch dein Zeug aufräumen!

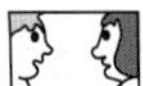

Macht weitere Dialoge.

der	Rucksack Tennisschläger	die	Jacke Kamera
das	Stirnband Comic-Heft	die	Turnschuhe Spiele

B Andere Länder

1. Ferienerfahrungen

Das TopMagazi

Wo verbringen deutsche Jugendliche ihre Ferien? In welchen Ländern waren sie, und welche Eindrücke haben sie von dem anderen Land? Das wollten wir schon immer einmal wissen. Wir haben Schüler auf der Straße gefragt.

SABINE, 17 JAHRE:

„Ich habe vor zwei Wochen einen Sprachkurs in Südfrankreich gemacht. Da habe ich in einer Familie gewohnt. Die Eltern haben beide gearbeitet, und die Kinder waren auch den ganzen Tag in der Schule. Aber alle waren sehr nett zu mir. Ich kann leider noch nicht gut Französisch, und sie konnten kein Deutsch. Was ich typisch französisch finde? Dass die Leute tatsächlich zu allen Mahlzeiten Baguette essen. Das Mittag- und Abendessen hat viele Gänge. Das ist wirklich toll. Aber das Frühstück ist langweilig. Außer Milchkaffee gibt's nicht viel. Ansonsten ...? Na ja, die Franzosen machen wirklich alle im August Urlaub."

22

a) Lies den Text. Dann hör die Interviews mit anderen Schülern.

b) Mach eine Liste: Sabine hat einen Sprachkurs gemacht. Susanne hat Winterurlaub in Österreich gemacht. ...

c) Mach eine Tabelle und trage zum Beispiel folgende Informationen ein: Essen, Erfahrungen mit den Menschen (positiv/negativ) ...

d) Sprecht jetzt in der Klasse über diese Interviews und eure eigenen Erfahrungen.
- Was sagen diese deutschen Jugendlichen über Frankreich, England ...?
- Wart ihr auch schon einmal dort? Welche Erfahrungen habt ihr gemacht?
- Welche Erfahrungen habt ihr mit Deutschland und den Deutschen?

Also, ich war mal in Holland ...

Wir fahren jedes Jahr nach Italien.

Ich kenne einen Türken. Er ist in meine Klasse gegangen.

e) In welches Land möchtest du fahren? Und warum?

Land	Leute	
Italien	die Italiener (Italiener/Italienerin)	italienisch
Deutschland	die Deutschen (Deutscher/Deutsche)	deutsch
Griechenland	die Griechen (Grieche/Griechin)	griechisch
England	die Engländer (Engländer/Engländerin)	englisch
Frankreich	die Franzosen (Franzose/Französin)	französisch
Österreich	die Österreicher (Österreicher/Österreicherin)	österreichisch
Schweiz	die Schweizer (Schweizer/Schweizerin)	schweizerisch
Türkei	die Türken (Türke/Türkin)	türkisch
Amerika	die Amerikaner (Amerikaner/Amerikanerin)	amerikanisch
China	die Chinesen (Chinese/Chinesin)	chinesisch
Russland	die Russen (Russe/Russin)	russisch

2. Wollt ihr mitessen?

● Hm, hier riecht es aber gut.
▲ Hallo, wollt ihr mitessen?
● Was kocht ihr denn da?
▲ Spaghetti carbonara.
● Ihr seid aber doch keine Italiener.
▲ Nein, Holländer. Wir essen nur gern italienisch.

a) Typische Gerichte. Ordne zu.

Deutschland	Paella (Reisgericht)
Spanien	Rösti (gebratene Kartoffeln)
Frankreich	Moussaka (Auberginenauflauf)
Griechenland	Eintopf (Gemüse, Kartoffeln und Fleisch zusammen)
Österreich	Bouillabaisse (Fischsuppe)
Schweiz	Kaiserschmarren (Süßspeise aus Eierteig)

1	2	3	4	5	6
d	?	?	?	?	?

b) Macht weitere Dialoge.

Na so was!

Spiel: Stadt – Land – Fluss

Vorbereitung: (Jeder Spieler macht eine Tabelle)

Stadt	Land	Fluss/See/Meer	Name	Essen	Hobby	Punkte

So geht das Spiel:

Ein Schüler sagt einen Buchstaben, zum Beispiel „m“. Dann müssen alle die Tabelle mit Wörtern und Namen, die mit diesem Buchstaben anfangen, füllen. Zum Beispiel: München – Mexiko – Mittelmeer – Michael – Marmelade – Malen.

Wer zuerst fertig ist, sagt „Stopp“. Jetzt darf niemand mehr weiterschreiben. Dann zählen alle ihre Punkte. Für jedes (richtig ausgefüllte) Feld der Tabelle gibt es 10 Punkte. Wenn zwei oder mehr Spieler das gleiche Wort geschrieben haben, bekommen sie nur 5 Punkte für dieses Feld. Wenn einer ein Feld gefüllt hat, und alle anderen haben da nichts, dann bekommt er 20 Punkte. Dann schreibt jeder seine Punkte auf, und es geht weiter mit einem neuen Buchstaben. Man kann so lange spielen, wie man will. Sieger: Wer die meisten Punkte hat.

Tipp
Schreib eine kurze Zusammenfassung des Textes auf.

Im Rhythmus der Welt durch Kreuzberg

1 Menschen aus über hundert Ländern der Erde leben in Berlin. Beim jährlichen „Karneval der Kulturen“ zeigen sie die Musik und die Tänze ihrer Länder. Der Umzug geht durch den Stadtteil Kreuzberg.
Mehr als 200 000 Zuschauer sind dieses Mal gekommen. Etwa 100 Gruppen
5 drängen durch die Straßen und geben ihren Mitbewohnern einen Einblick in ihre kulturellen Bräuche. Kenianer in wunderschönen Kostümen zeigen Tänze ihres Landes. Eine russische Gruppe in traditioneller Kleidung zeigt Spiele. Ein Vietnamese trägt einen riesengroßen Drachenkopf.
Auch „Gäste“ zeigen, was sie können. Nicht immer sind beispielsweise die
10 Samba-Spieler echte Brasilianer. Auch Deutsche und Musikfans aus anderen Ländern schlagen die Samba-Trommeln. Da tun sich Südamerikaner und Afrikaner zusammen und machen aus ihren Musikstilen neue Melodien. Die Beteiligten sind sich einig: Heute sollen alle Spaß an ihren Vorführungen haben, nicht nur die Akteure. Auch die Zuschauer sind begeistert von den
15 vielen Rhythmen, den Masken, Verkleidungen und Vorführungen.

Was ist richtig? a, b oder c?

1. Den „Karneval der Kulturen“ gibt es
   a) in über hundert Ländern.
   b) in Berlin-Kreuzberg.
   c) in allen Ländern.

2. Viele Tanz- und Musikgruppen
   a) ziehen durch die Straßen.
   b) sehen ihre Mitbewohner an.
   c) haben 100 Mitglieder.

3. Musikanten aus verschiedenen Ländern
   a) machen gemeinsam Musik.
   b) tragen einen Drachenkopf.
   c) kommen aus Brasilien.

4. Alle Teilnehmer an dem Fest meinen:
   a) Heute sollen sich alle verkleiden.
   b) Heute sollen alle Spaß haben.
   c) Heute sollen alle zuschauen.

Lernwortschatz

Wortschatz

eine Meinung äußern:

Meiner Meinung nach ist ...
Ich glaube, dass ...
Ich habe gehört, dass ...
Ich finde, dass ...
Ich war schon mal in ... Da war ...

Das stimmt doch gar nicht!
Das ist doch nicht wahr!
Da habe ich aber etwas anderes gehört.
So ein Blödsinn!

Land und Leute:

Italien	die Italiener	italienisch
Griechenland	die Griechen	griechisch
England	die Engländer	englisch
Frankreich	die Franzosen	französisch
Türkei	die Türken	türkisch
Amerika	die Amerikaner	amerikanisch
China	die Chinesen	chinesisch
Russland	die Russen	russisch
Österreich	die Österreicher	österreichisch
Schweiz	die Schweizer	schweizerisch
Deutschland	die Deutschen	deutsch

Grammatik

Grammatik

Wechselpräpositionen

Wohin? Bewegung A → B: mit Akkusativ	Wo? am gleichen Ort: mit Dativ
Wohin soll ich den Apfelsaft stellen? Stell ihn doch bitte in den Kühlschrank. Wohin soll ich die Hefte legen? Leg sie doch auf den Tisch. Wohin fährst du? Ans Meer.	Wo ist denn nur mein Apfelsaft? Er steht im Kühlschrank. Wo liegen denn meine Hefte? Sie liegen auf dem Tisch. Wo warst du? Am Meer.

Berlin ist eine Reise wert

12

Spiel: Eine Fahrt nach Berlin

Hier ist eine Deutschlandkarte mit den Bundesländern, den Landeshauptstädten (rot) und den wichtigsten Autobahnen.

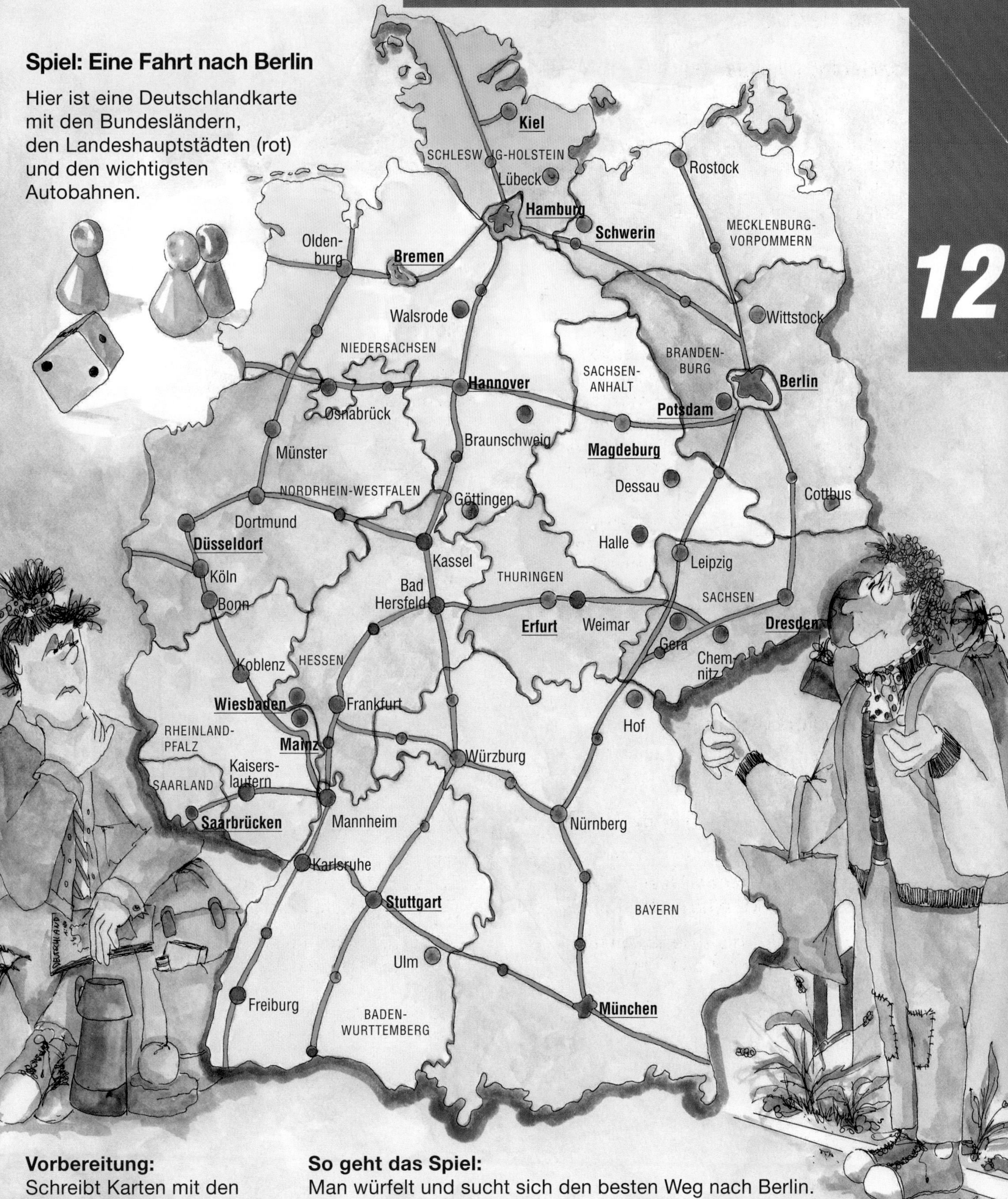

Vorbereitung:

Schreibt Karten mit den Namen der Landeshauptstädte. Jeder Spieler zieht eine Karte und setzt seine Spielfigur auf die Stadt.

So geht das Spiel:

Man würfelt und sucht sich den besten Weg nach Berlin. Jede „Ausfahrt" (= Punkte auf und neben den Autobahnen) zählt einen Würfelpunkt. Vorsicht: Auf der Fahrt nach Berlin wollen alle möglichst viel von Deutschland sehen. Deshalb müssen alle mindestens durch drei Bundesländer fahren. Sieger ist, wer als Erster in Berlin ankommt.

12A

A Vorbereitung einer Klassenfahrt

1. Wohin sollen wir fahren?

Hör zu. Lies die Sätze unten. Was ist richtig, was ist falsch?

a) Die Klasse macht in einem Monat eine Klassenfahrt.
b) Sie bleiben eine Woche weg.
c) Die Lehrerin möchte auch nach Rom oder Paris fahren.
d) In Berlin gibt es interessante Kneipen und Theater.
e) Berlin ist die Hauptstadt Deutschlands.
f) Bettina war vor zwei Jahren bei ihrer Tante in Berlin.
g) Alle haben Verwandte in Berlin.
h) Matthias hat Bekannte in Berlin.
i) Florian hat seit dem letzten Sommer eine Brieffreundin in Berlin.

2. Reisevorbereitungen

Die Klasse bereitet die Fahrt nach Berlin vor. Die Schüler schreiben eine Liste. Wie sieht die Liste aus? Was meinst du? Schreib auf.

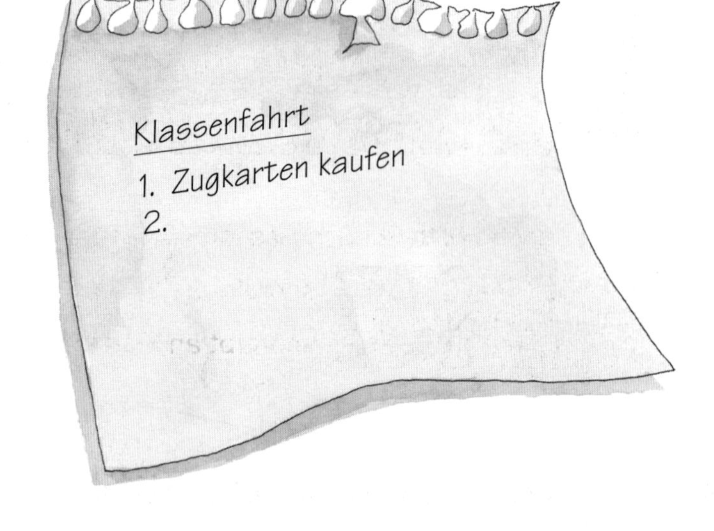

3. *in, vor* oder *seit*?

Verbinde die Sätze.

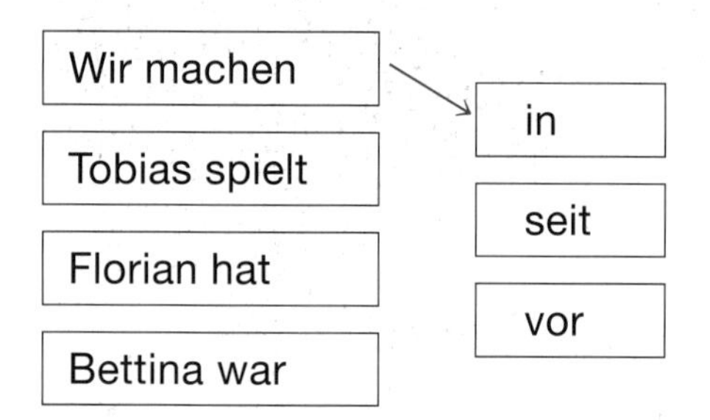

Wir machen	in	zehn Jahren	in Berlin.
Tobias spielt	seit	dem Sommer	eine Klassenfahrt.
Florian hat	vor	drei Monaten	eine Brieffreundin.
Bettina war		zwei Wochen	in einer Band.

Grammatik

Zeit: seit/in/vor + Dativ

seit	Ich bin schon	seit einer	Woche	in Berlin.
in	Ich fahre	in einem	Monat	nach Berlin.
vor	Ich war	vor einem	Jahr	in Berlin.

4. Kurzmitteilungen

S
WARST DU SCHON MAL IN BERLIN?
N
WIE LANG WOHNT DEINE TANTE SCHON IN BERLIN?
A
WANN KANNST DU SIE MAL TREFFEN?
T
SEIT WANN HAST DU EINE BRIEFFREUNDIN?
M
SONJA. SIE WOHNT IN BERLIN.
B
BEI WEM?
O
WIE IST IHR NAME?
I
BEI MEINER TANTE.
S
IN DREI MONATEN.
H
SEIT ACHT MONATEN.
A
JA. VOR ZEHN JAHREN.
E
SEIT ZWÖLF JAHREN.
Menu
Namen

Immer sechs Mitteilungen passen zusammen. Schreib die Buchstaben auf:

?	?	?	?	?	?	schreibt an Bettina.
?	?	?	?	?	?	schreibt an Florian.

5. Welche Sehenswürdigkeiten gibt es in Berlin?

Schlag das *Monatsheft Berlin* in der Mitte der Lektion auf Seite I auf. Welches Bild passt zu welchem Text? S. 140

A	B	C	D	E	F	G
?	?	?	?	?	?	?

BERLIN BERLIN
DAS MONATSHEFT
Was kann man in Berlin sehen?
Was kann man in Berlin machen?
Was findet man wo?
U-Bahn und S-Bahn in Berlin

6. Was kann man in Berlin machen?

Lies das Veranstaltungsprogramm im *Monatsheft Berlin* auf Seite II. Wohin möchtest du gehen? Und warum? S. 141

Ich möchte (nicht)	ins Konzert in die Oper ...	gehen,	weil ich ... interessant/langweilig finde. weil ich (nicht) gern ... ...

Frag auch deinen Partner.

7. Die Klasse bespricht ihr Programm

2 25 Hör zu. Schreib den Plan unten in dein Heft und ergänze, was fehlt.

	Mo	Di	Mi	Do	Fr	Sa
Vormittag	8.00 Abfahrt an der Schule; ca. 13.00 Ankunft	Stadtrundfahrt	?	Museumsinsel	Freie Berliner Kunstausstellung	Rückfahrt
Nachmittag	Stadtbummel	?	freier Nachmittag	Schloss Sanssouci in Potsdam	Ausflug an den Wannsee	
Abend	?	Oper	? / Fußballspiel	?	?	

Grammatik

Zeit: vor/nach + Dativ

Wir machen	vor	dem Mittagessen	eine Stadtrundfahrt.
Wir machen	nach	dem Mittagessen	einen Stadtbummel.

8. Ein Wunschprogramm

Stell dir vor, du fährst mit deiner Klasse eine Woche nach Berlin. Was möchtest du machen? Schreib dein Wunschprogramm. Schau im *Monatsheft Berlin* auf Seite I und II nach.

9. Was machen wir ...?

2 26
- ● Was machen wir denn am Montag nach dem Stadtbummel?
- ▲ Hast du denn nicht zugehört? Wir haben gesagt, wir gehen ins Theater.
- ● Ins Theater? Na gut. ● Aha. ● Auch das noch!

Macht weitere Dialoge.

●	▲
vor der Oper	Berlin-Museum
vor dem Fußballspiel	...
nach der Stadtrundfahrt	

10. Wer mag was?

Wohin gehen die Schüler am freien Nachmittag und am Mittwochabend? Was glaubst du?

a) Katrins Lieblingsfach ist Geschichte. Sie geht ...
b) Florian hat eine Brieffreundin. Er ...
c) Matthias mag Tiere.
d) Julia macht gern einen Einkaufsbummel.
e) Verena mag klassische Musik.
f) Christoph findet Kunst interessant.
g) Bettinas Tante wohnt in Berlin.

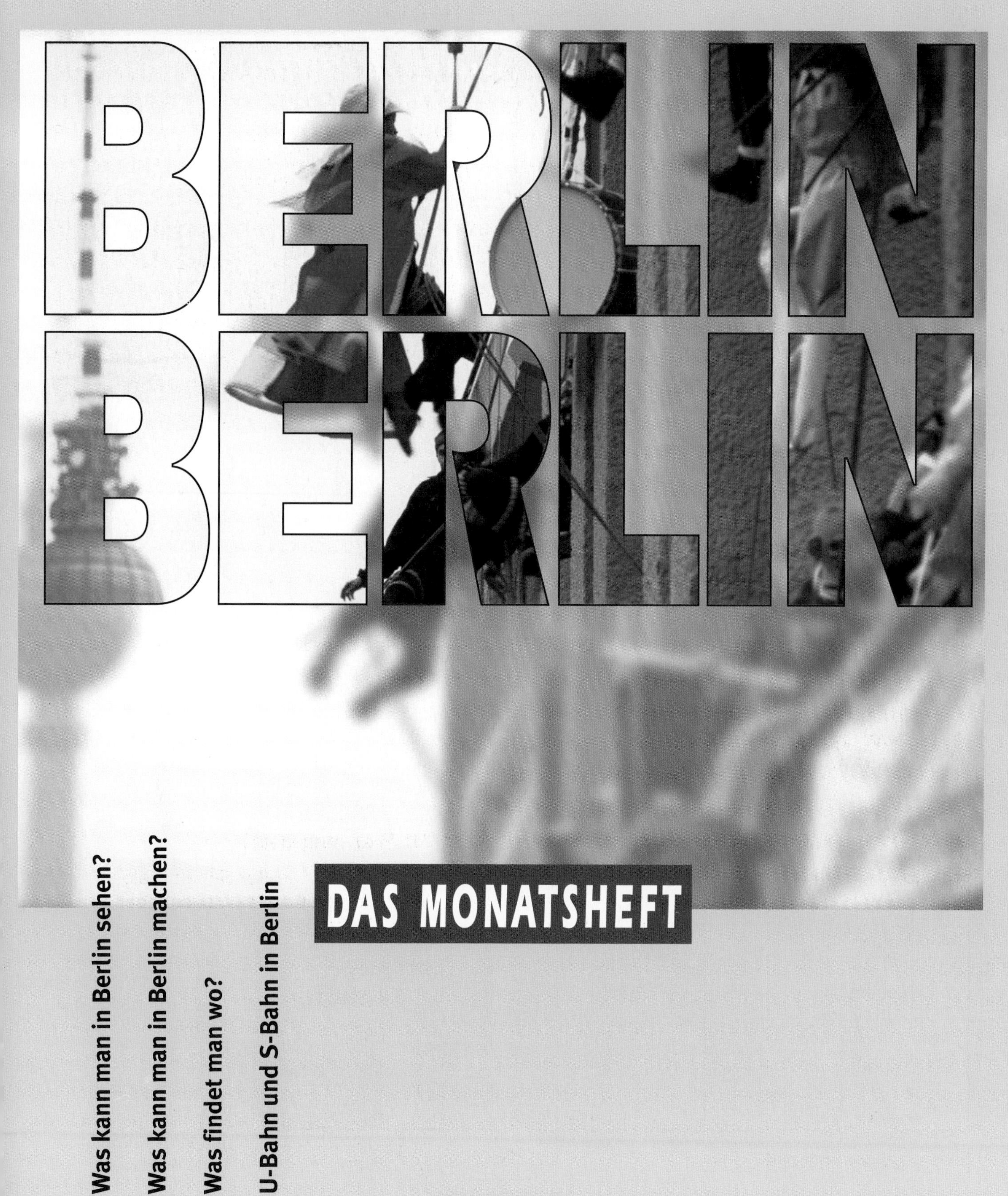

Was kann man in Berlin sehen?

Was kann man in Berlin machen?

Was findet man wo?

U-Bahn und S-Bahn in Berlin

Was kann man in Berlin sehen?

BERLIN BERLIN
DAS MONATSHEFT

Hier ist unser Berlin-Quiz. Welches Bild passt zu welchem Text?

1. Der Kurfürstendamm ist die berühmteste Einkaufsstraße in Berlin. Die Berliner nennen ihn Ku'damm.

2. Auf der Museumsinsel sind die wichtigsten Museen. Das Pergamonmuseum hat seinen Namen von dem berühmten Pergamonaltar.

3. Kreuzberg ist ein Stadtteil von Berlin. Hier wohnen viele Türken. Überall kann man türkische Spezialitäten einkaufen.

4. Viele Berliner verbringen ihr Wochenende am Wannsee oder Müggelsee beim Baden, Segeln und Spazierengehen.

5. Das Schloss Sanssouci von Friedrich dem Großen liegt in Potsdam, 40 km südlich von Berlin.

6. Im Ägyptischen Museum kann man neben anderen Kunstwerken aus dem alten Ägypten auch den berühmten Kopf der Nofretete sehen.

7. Hier in der Oranienburger Straße gibt es viele Kneipen für junge Leute.

● SEITE I ▶

Hier sind einige Vorschläge:

Theater

Berliner Ensemble
Bis 25. täglich 20.00 Uhr
Bertolt Brecht: Der gute Mensch von Sezuan

Deutsches Theater
Jeweils Mo., Di., Fr., 20.00 Uhr
Gotthold Ephraim Lessing: Nathan der Weise

Friedrichstadtpalast
Di. – Fr. 20.00 Uhr
Sa., So. 16.00 Uhr
Revue-Berlin

Oper/Ballett

Deutsche Oper Berlin
Jeweils Do., Sa., So. 19.30 Uhr
Richard Wagner: Der fliegende Holländer

Deutsche Staatsoper Berlin
Täglich (außer Mo.) 20.00 Uhr
Wolfgang Amadeus Mozart: Die Zauberflöte

Komische Oper
Jeweils Fr., Sa., So. 19.30 Uhr
Ballett: Schwanensee von Peter Tschaikowsky

Konzert

Philharmonie
Berliner Philharmonisches Orchester
Jeweils Mi., Fr., Sa. 20.00 Uhr
Joseph Haydn:
Die Schöpfung

Symphonisches Orchester Berlin
Di. 23., 20.00 Uhr
Ludwig van Beethoven:
Violinkonzert D-Dur
6. Symphonie Pastorale

Unterhaltung

Theater des Westens
Di. – Sa. 20.00 Uhr, So. 16.00
FMA – Falco meets Amadeus

Waldbühne
Einmaliges Gastspiel: Do. 25., 20.00 Uhr
BAP

Ausstellungen

Märkisches Museum
Das Berliner Schloss zur Kaiserzeit – Fotografien

Museum für Volkskunst
Kleidung zwischen Tracht und Mode

Messehallen am Funkturm
21. Freie Berliner Kunstausstellung

Festivals

Berliner Festspiele
12. Theatertreffen der Jugend
Vom 21. bis 28.

Garten der Nationalgalerie
Jeweils Fr. 18.00 Uhr
Jazz in the garden
Bei schlechtem Wetter in der Kongresshalle

Sport

Olympiastadion
Sa. 17.:
Hertha BSC – Borussia Dortmund
Sa. 31.:
Hertha BSC – Hansa Rostock

▶ SEITE II ▶

Was findet man wo?

Was kann man auf einer Stadtrundfahrt sehen?

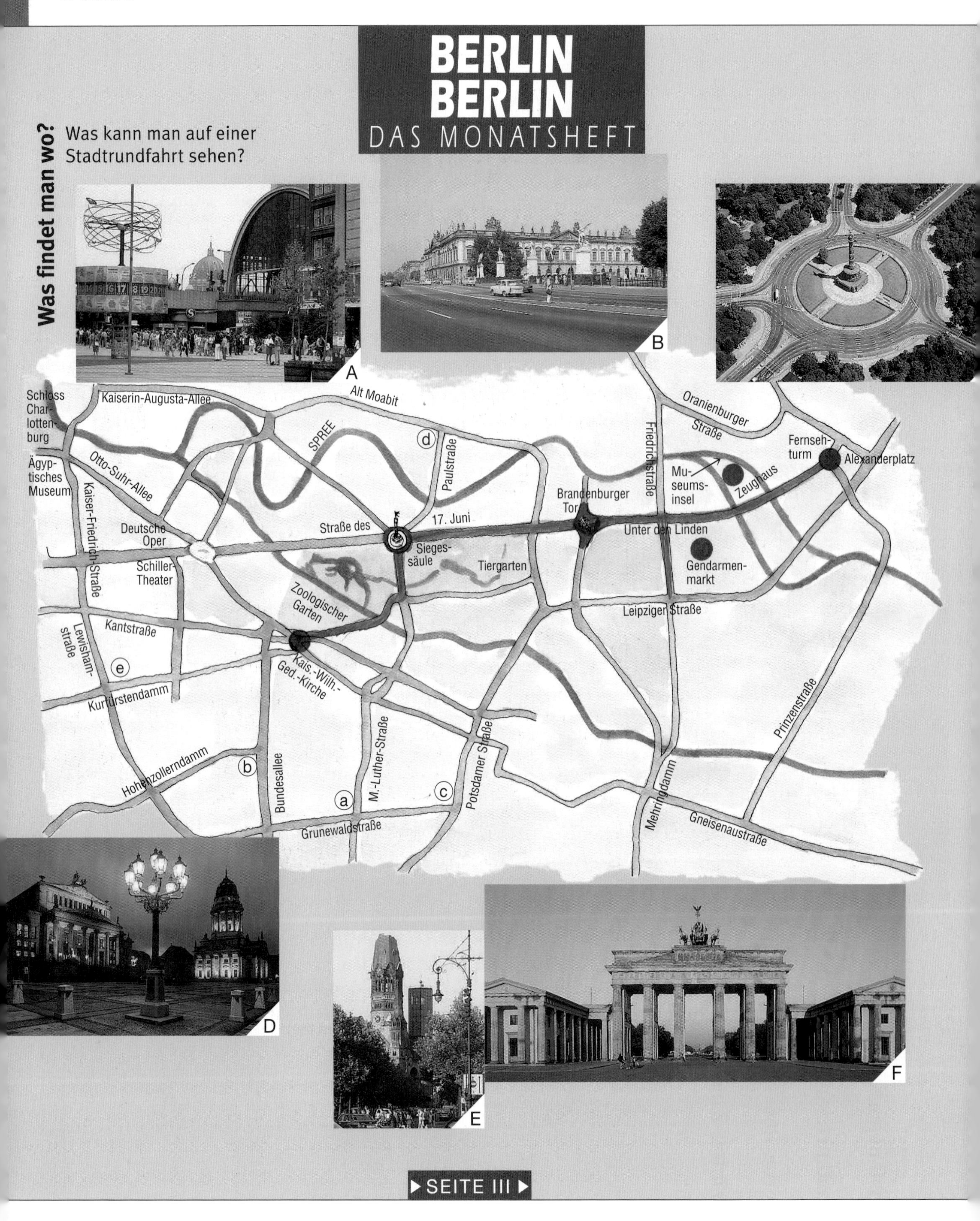

▶ SEITE III ▶

U-Bahn und S-Bahn in Berlin

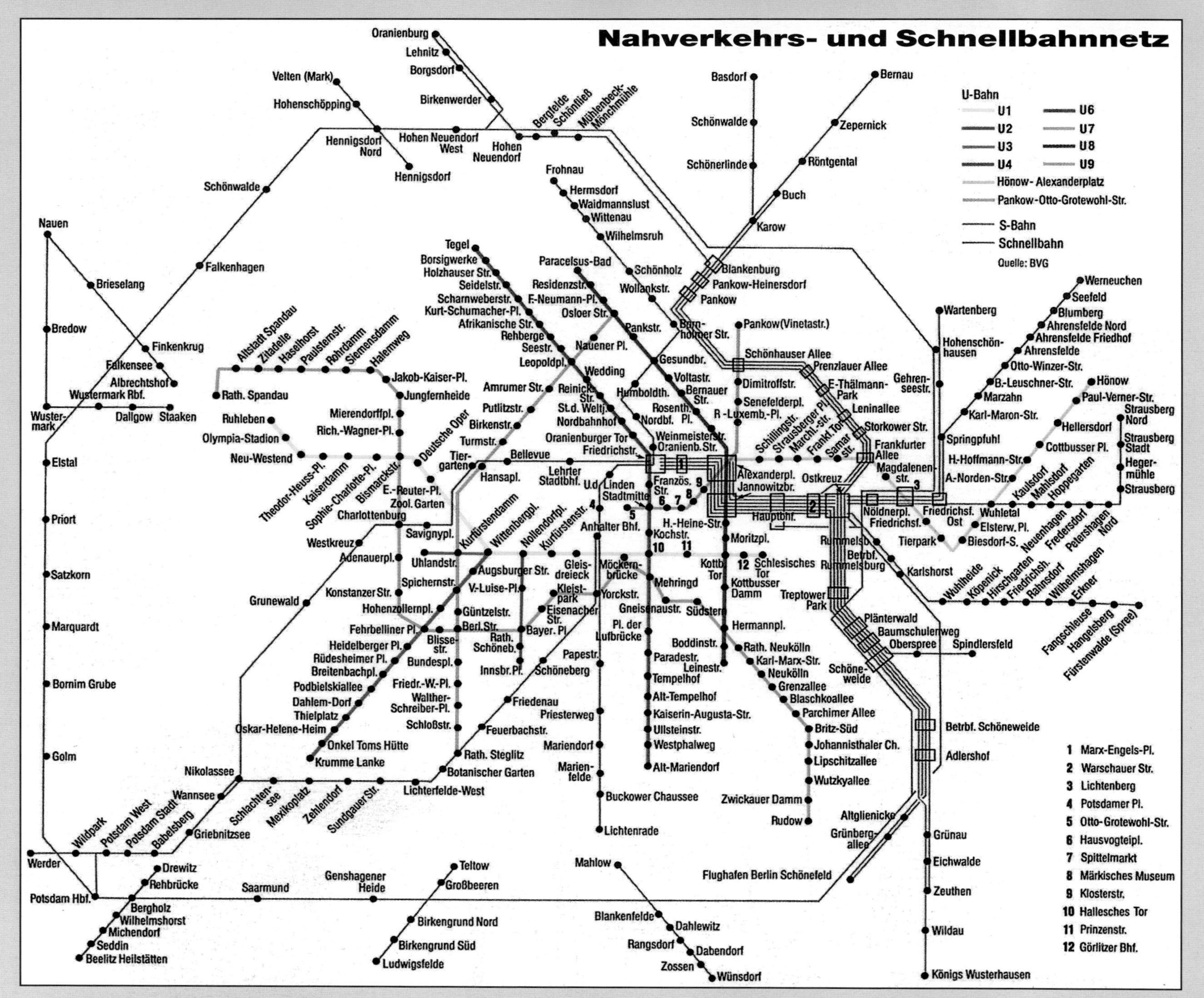

▶ SEITE IV ●

12B

B In Berlin

1. Nach der Ankunft

Hör zu. Welche Räume gibt es im Jugendgästehaus? Und wo sind sie?

Beispiel: Die Schlafzimmer sind oben.

Der Koffer steht	oben.
	unten.
	vorn.
	hinten.
	drinnen.
	draußen.

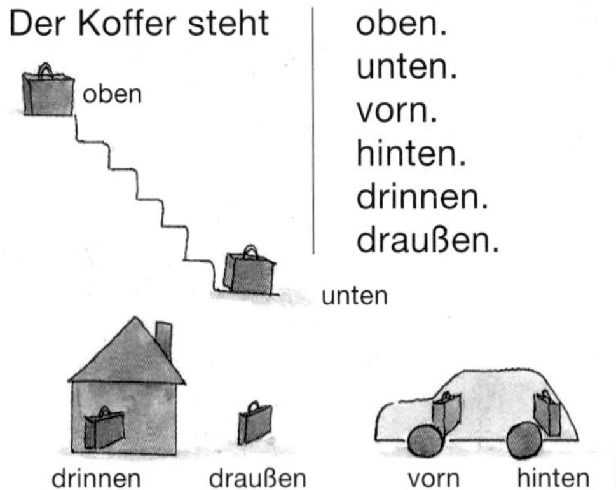

2. Beim Auspacken

2 28

● Ach, nein! Ich habe meinen Kamm vergessen!
▲ Na und? Hier gibt es doch bestimmt ein Kaufhaus.

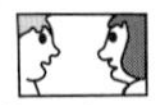

Macht weitere Dialoge.

●	▲
der Hustensaft	die Apotheke
das Briefpapier	das Schreibwarengeschäft
die Zahnbürste	die Drogerie
...	...

3. Gibt es hier ...?

● Entschuldigen Sie, bitte, gibt es hier eine Telefonzelle?
▲ Ja, sicher! Ganz in der Nähe. Also, du gehst hier geradeaus bis zur Kreuzung, dann links und dann rechts. Dann siehst du schon die Telefonzelle auf der linken Seite.
● Danke.

Macht weitere Dialoge. Schaut auf dem Plan nach.

●

... gibt es hier	eine Apotheke? ein Kaufhaus? ...

▲

Du gehst hier geradeaus bis zur	nächsten zweiten dritten	Kreuzung, Straße,

dann	rechts links	und dann	(wieder) rechts. (wieder) links. immer geradeaus.

Dann siehst du schon	die Apotheke das Kaufhaus ...	auf der rechten Seite. auf der linken Seite.

4. Spiel: Wohin ...?

Ein Schüler sucht auf dem Plan oben ein Ziel aus. Er nennt es aber nicht. Er beschreibt den Weg vom Jugendgästehaus zu dem Ziel. Die anderen verfolgen den Weg auf dem Plan mit dem Finger. Sieger ist, wer zuerst das Ziel errät.

5. Eine Stadtrundfahrt

a) Hör zu und schau die Bilder im *Monatsheft Berlin* auf Seite III unten an. In welcher Reihenfolge beschreibt der Stadtführer die Sehenswürdigkeiten? Schreib die Buchstaben auf.
b) Hör noch einmal. Welchen Weg fährt der Bus? Schau auf dem Stadtplan auf der gleichen Seite nach.

6. Verlaufen

Beim Stadtbummel hat sich der Lehrer verlaufen.
ⓐ An der Ecke Grunewaldstraße und Lutherstraße fragt er einen Passanten.

● Entschuldigen Sie, bitte, wie komme ich zur Kaiser-Wilhelm-Gedächtniskirche?
▲ Also, Sie gehen ...

Beschreibt den Weg. Schaut auf dem Stadtplan im *Monatsheft Berlin,* Seite III, nach.

Macht weitere Dialoge.

ⓑ Ecke Bundesallee und Hohenzollerndamm / zum Alexanderplatz
ⓒ Ecke Grunewaldstraße und Potsdamer Straße / zur Siegessäule
ⓓ Ecke Alt Moabit und Paulstraße / zum Brandenburger Tor
ⓔ Ecke Kurfürstendamm und Lewishamstraße / zur Museumsinsel

Grammatik

zu + Dativ

Wie komme ich ...

zum Zoo?	zum Schiller-Theater?	zur Siegessäule?
(zu dem)	(zu dem)	(zu der)

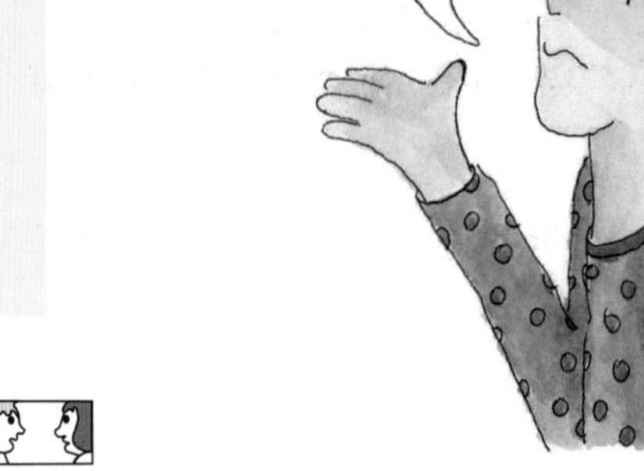

7. Am freien Nachmittag

Die Klasse ist gemeinsam zur Haltestelle Bismarckstraße gefahren. Nun kann jeder machen, was er möchte.
● Frau Rösner?
▲ Ja, bitte?
● Wie komme ich denn zum Dahlem-Museum?
▲ Mit der U-Bahn.
● Aha. Und mit welcher?
▲ Nimm die U7 bis Fehrbelliner Platz und steig dann um, in die U2 Richtung Krumme Lanke. An der Haltestelle Dahlem-Dorf musst du aussteigen.

Macht weitere Dialoge. Schaut auf dem U- und S-Bahnplan im *Monatsheft Berlin*, Seite IV, nach.

●	▲
Zoologischer Garten	U1
Kurfürstendamm	U1/U9
Alexanderplatz	U1/U8
Botanischer Garten	U7/U9/S-Bahn
Kreuzberg	U1 Haltestelle Schlesisches Tor

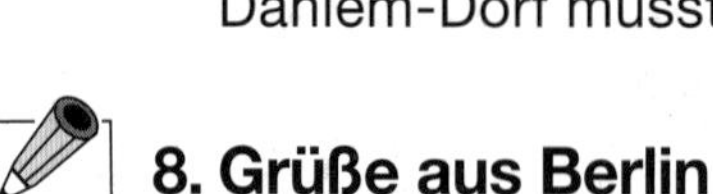

8. Grüße aus Berlin

Nach dem Besuch des Zoologischen Gartens geht Matthias in ein Café und schreibt eine Postkarte an seine Eltern.

Was schreibt Matthias? Schreib den Text für die Postkarte in dein Heft.

9. Was machen wir heute Abend?

2 32

● Du, Oliver, haben wir heute Abend noch was vor?
▲ –
● He, bist du taub? Ich hab dich gefragt, ob wir heute Abend noch was vorhaben?
▲ Ich glaube schon.
● Müssen wir denn noch mal ins Gästehaus zurück?
▲ –
● Weißt du, ob wir noch mal ins Gästehaus zurückmüssen?
▲ Ich glaube nicht.
● Wo treffen wir die anderen?
▲ –
● Mensch, hörst du mir überhaupt zu? Ich habe dich gefragt, wo wir die anderen treffen.
▲ Keine Ahnung.
● Du bist vielleicht eine Hilfe. Was machen wir denn jetzt?

Tipp
Sprich mit deinem Partner einen Dialog auf Cassette. Korrigiert euch gegenseitig.

Grammatik

Peter:		„Haben wir heute noch etwas vor?"
Weißt du, Ich habe dich gefragt,	**ob**	wir heute noch etwas vorhaben?
Peter:		„Müssen wir noch mal ins Gästehaus zurück?"
Weißt du, Ich habe dich gefragt,	**ob**	wir noch mal ins Gästehaus zurückmüssen?
Peter:		„Wo treffen wir die anderen?"
Weißt du, Ich habe dich gefragt,	**wo**	wir die anderen treffen?

10. Robert kommt

33

● Oh, schau mal! Ist das nicht Robert? He, Robert!
▲ Ach, ihr seid's. Hallo.
● Sag mal. Hast du eine Ahnung, ob wir heute noch ...?
▲ Natürlich haben wir heute noch was vor.
● Und weißt du, ob wir ins ...?
▲ Nein, das müssen wir nicht.
● Weißt du vielleicht auch, wo ...?
▲ Klar! An der Kaiser-Wilhelm-Gedächtnis-kirche.
● Und wann ...?
▲ Um sieben Uhr.
● Weißt du zufällig auch noch, was ...?
▲ Natürlich. Eine Gruppe geht ins Konzert und die andere Gruppe zum Fußballspiel.
● Robert, du bist unsere Rettung!

Was fragt der Junge Robert?
Schreib die Fragen in dein Heft.

12c

C Wieder zu Hause

1. Redaktionssitzung bei der Schülerzeitung „Domino“

Hör zu und beantworte die Fragen.

a) Was wollen die Redakteure in der Schülerzeitung schreiben?
b) Was wollen sie mit Fotos illustrieren?
c) Wer hat in Berlin Fotos gemacht?

2. Der Artikel in der Schülerzeitung

Die Redakteure wollen die Berliner Geschichte für die Schülerzeitung interessanter aufmachen. Sie zeigen Fotos und geben Erklärungen dazu.

1945
Die Sieger des Zweiten Weltkrieges (USA, Sowjetunion, Großbritannien, und Frankreich) teilten Deutschland in vier Zonen. Sie teilten auch Berlin in vier Zonen.

1949
Die amerikanische, britische und französische Zone bildeten die Bundesrepublik Deutschland mit der Hauptstadt Bonn.

1949
Aus der sowjetischen Zone wurde ein eigener Staat, die DDR. Nun gab es West-Berlin und Ost-Berlin.

1961
Die Regierung der DDR baute eine Mauer durch Berlin. Viele Familien wurden getrennt. Man konnte Freunde und Verwandte nicht mehr besuchen.

9.11.1989
Die Regierung der DDR machte die Grenzen auf. Ostdeutsche und Westdeutsche feierten zusammen und tanzten auf der Berliner Mauer.

3.10.1990
Die DDR und die Bundesrepublik wurden wieder ein Staat. Heute ist Berlin wieder die Hauptstadt von Deutschland.

Grammatik

Präteritum

	regelmäßige Verben	unregelmäßige Verben	Modalverben
ich	teilte	ging	durfte
du	teiltest	gingst	durftest
er/es/sie	teilte	ging	durfte
wir	teilten	gingen	durften
ihr	teiltet	gingt	durftet
sie/Sie	teilten	gingen	durften

Ebenso:

Regelmäßige Verben: machen, besuchen, gehören, trennen, feiern, tanzen ...

Unregelmäßige Verben: werden – wurde, fahren – fuhr, (an)kommen – kam (an), geben – gab, essen – aß, rufen – rief, schlafen – schlief, sehen – sah, bleiben – blieb, haben – hatte, sein – war, stehen – stand, denken – dachte, lassen – ließ, kennen – kannte ...

Modalverben: wollen – wollte, können – konnte, müssen – musste, sollen – sollte

3. Unsere Klassenfahrt nach Berlin

Berichte von der Klassenfahrt. Schreib einen Artikel für die Schülerzeitung **Domino.**
Schau noch einmal auf den Plan auf Seite 64 und schreib so:

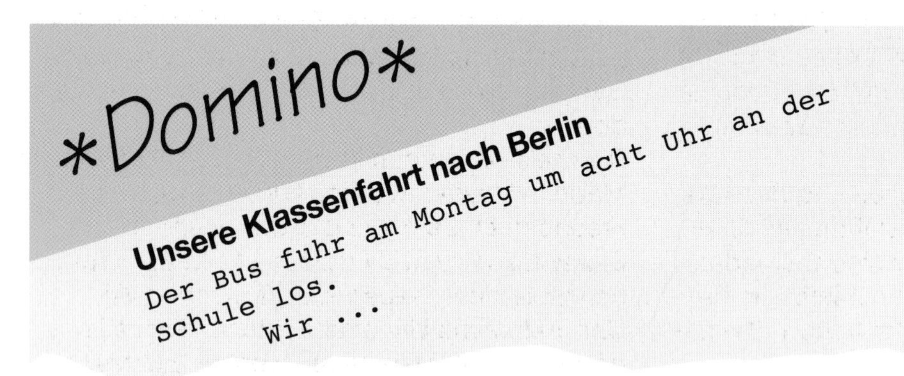

Domino
Unsere Klassenfahrt nach Berlin
Der Bus fuhr am Montag um acht Uhr an der
Schule los.
Wir ...

Na so was!

Berlin ist eine Reise wert!

Berlin ist eine Reise wert, das werdet ihr gleich seh'n,
wer einmal dort war, weiß das schon, der kann das gut verstehen,
wer einmal dort war, weiß das schon, der kann das gut versteh'n.

1. Wer eine Rundfahrt machen muss,
   der nimmt dazu den Autobus.

2. Die Gedächtniskirche ist benannt
   nach Kaiser Wilhelm, wie bekannt.

3. Boot fahr'n, Surfen, seht, was man
   am ______ alles machen kann.

4. Der Alte Fritz war hier zu Haus.
   Schloss ______ sieht herrlich aus.

5. Und wer verrückte Kneipen mag,
   geht nach ______, klar, bei Nacht und Tag.

6. Die Fußballspieler warten schon
   im großen ______.

Tipp
Beim Verstehen hilft dir, wenn du Fragen an den Text stellst: Wann passiert etwas? Wo passiert es? Warum?

Lesen

Was machst du am Nachmittag?

Der Himmel ist grau. Es regnet. Die Straßen und Plätze Berlins sind jetzt ungemütlich. Doch wohin kann man gehen? Zu Hause ist es langweilig. Wo kann man ein paar Freunde treffen?
Für Robert, Steffen, Johannes und ihre Clique ist die Sache klar: Sie treffen sich in einem Einkaufszentrum. „Wir sind fast jeden Tag hier“, erzählt Marco, 15. „Meistens gehen wir einfach so hin“, sagt Adrian. Sie haben nichts Besonderes vor.
Die Jugendlichen treffen sich immer in der obersten Etage. Dort haben sie den besten Überblick. Von oben kann man sehen, wer unten kommt. An einer Stelle bleiben die Jugendlichen selten. Mal gehen sie durch die Gänge, kaufen mal hier etwas oder schauen dort.
Die meisten Jungen kommen, weil sie gerne Mädchen treffen wollen. Auch die beiden Freundinnen Jenny und Jessica sind oft im Einkaufszentrum. „Natürlich um Leute kennen zu lernen“, sagen sie. „Zwischen vier Uhr und sechs Uhr sind wir hier.“ Was alle dort machen? Miteinander reden, Eis essen, eine Cola oder Süßigkeiten kaufen. „Manchmal gehen wir auch von hier aus ins Kino oder in einen Jugendclub“, erzählen sie.

Was ist richtig? a, b oder c?

1. Viele Jugendliche in Berlin
   a) treffen sich gar nicht.
   b) finden es zu Hause langweilig.
   c) bleiben zu Hause, wenn es regnet.

2. Robert, Steffen, Johannes und ihre Clique
   a) gehen fast jeden Tag in ein Einkaufszentrum.
   b) treffen sich jeden Tag zu Hause.
   c) gehen meistens in einen Jugendclub.

3. In der obersten Etage des Einkaufszentrums
   a) kann man gut einkaufen.
   b) treffen sich die Jugendlichen.
   c) gefällt es den Jugendlichen gar nicht.

4. Jenny und Jessica kommen ins Einkaufszentrum,
   a) weil sie Cola oder Süßigkeiten kaufen möchten.
   b) weil es dort ein Kino und einen Jugendclub gibt.
   c) weil sie Jungen kennen lernen möchten.

Lernwortschatz

Gebäude und Geschäfte in der Stadt:
der Kiosk
der Supermarkt

das Schreibwarengeschäft
das Kaufhaus
das Fotogeschäft
das Theater
das Museum
das Schloss

die Drogerie
die Apotheke
die Post
die Bäckerei
die Bank
die Oper

sich orientieren:
links rechts
geradeaus
immer geradeaus
auf der linken/rechten Seite
bei der/bis zur nächsten/ersten/ zweiten ... Kreuzung
bei der/bis zur nächsten/ersten/zweiten ... Straße

Grammatik

1. Satz

Direkte Frage	*Indirekte Frage*
„Haben wir heute noch was vor?“ „Müssen wir noch mal zurück?“	Er fragt, **ob** wir heute noch was vorhaben. Weißt du, **ob** wir noch mal zurückmüssen?
„Wo treffen wir die anderen?“	Ich habe dich gefragt, **wo** wir die anderen treffen.

2. Verb

Präteritum

	regelmäßige Verben	unregelmäßige Verben		Modalverben
		Verben mit Vokalwechsel	andere Verben	
ich du er/es/sie	tanzte tanztest tanzte	kam kamst kam	hatte hattest hatte	musste musstest musste
wir ihr sie/Sie	tanzten tanztet tanzten	kamen kamt kamen	hatten hattet hatten	mussten musstet mussten

3. Präpositionen

a) Zeit

seit/in/vor/nach + Dativ							
Singular						Plural	
Maskulinum		Neutrum		Femininum			
seit einem in einem vor dem	Monat Monat Ausflug	seit einem in einem vor dem	Jahr Jahr Abend-essen	seit einer in einer vor der	Woche Woche Aus-stellung	seit – in zwei vor den	Monaten Monaten Ferien
nach dem	Sommer	nach dem	Wochen-ende	nach der	Oper	nach den	Ferien

b) Ort

zu + Dativ von + Dativ			
Singular			Plural
Maskulinum	Neutrum	Femininum	
zum (zu dem) Zoo	zum (zu dem) Theater	zur (zu der) Post	zu den Havelseen

Wörterverzeichnis

Angegeben ist die Seite, auf der das Wort zum ersten Mal vorkommt.
Die schräg gesetzten Wörter gehören nicht zum Lernwortschatz.

A

Abenteuer, das, - 15
Abenteuerfilm, der, -e 17
abenteuerlich 112
abenteuerlustig 113
abfahren 117
Abfahrt, die 119
abhalten 79
abholen 78
Aborigine, der, -s 51
absolut 121
Action-Serie, die, -n 80
Adjektiv, das, -e 20
Afrikaner, der, - 133
aggressiv 33
Akteur, der, -e 133
Aktion, die, -en 80
aktuell 80
Album, das, Alben 33
alle Achtung 38
Alpen, die 76
altmodisch 60
am Anfang 15
amerikanisch 131
an 67
anbieten 106
ändern 58
anderthalb 39
Anfang, der 15
Angabe, die, -n 73
anhängen 100
Animateur, der, -e 85
ankreuzen 67
ankündigen 76
Ankunft, die 138
anlächeln 106
Anlauf, der 15
Anreise, die 128
Ansagerin, die, -nen 76
anschließend 80
ansehen 99
ansonsten 131
ansprechen 106
anstarren 104
anziehen 61
Anzug, der, ¨-e 88
anzünden 105
Apotheke, die, -n 144
Arbeit, die, -en 28
archäologisch 80
ARD-Fernsehlotterie, die 80
ARD-Ratgeber, der 80
Ärger, der 54
ärgern 28
Argument, das, -e 60
Armbanduhr, die, -en 118
Arzt, der, ¨-e 24
Ass, das, -e 18
Atlantik, der 12
attraktiv 22
Auberginenauflauf, der, ¨-e 132
auffallend 60
aufgeregt 36
aufpassen 121
aufregen 36
aufrufen 36
aufspießen 79
aufteilen 94
auftreten 39
Auftritt, der, -e 39
aufzählen 100
Auge, das, -n 22
Augenbraue, die, -n 28
ausdrücken 54
Ausfahrt, die, -en 135
Ausflug, der, ¨-e 138
Ausflugsfahrt, die, -en 112
ausführen 82
ausfüllen 113
auskommen 115
auslachen 105
ausmachen 82
aussehen 39
Aussehen, das 29
außen 93
außer 34
außerdem 84
äußern 110
aussteigen 146
Auswahl, die 79
Auto, das, -s 121
Autobahn, die, -en 135
Autobus, der, -se 150

B

backen 36
Bäckerei, die, -en 144
Bad, das, ¨-er 70
Badeanzug, der, ¨-e 88
baden 112
Badezimmer, das, - 70
Bahnfahrt, die, -en 119
Bahnhofstoilette, die, -n 111
Bahnsteig, der, -e 111
Balkon, der, -e 70
Bank, die, -en 144
Basis, die 78
Bauch, der, ¨-e 18
Bauchnabel, der, - 28
bauen 149
Beatles-Platte, die, -n 103
bedeuten 28
beeilen 77
Befinden, das 7
begeistert 133
Begleiter, der, - 113
Behandlung, die, -en 58
Bein, das, -e 22
beispielsweise 133
Bekannte, der/die, -n 136
beleidigen 102
beliebt 15
bemalen 28
bemerken 119
benutzen 118
bequem 113
bereisen 113
bereits 58
Berghütte, die, -n 73
bergwandern 112
Bericht, der, -e 150
Bermuda-Shorts, die 93
beruhigen 77
besetzen 40
besetzt 40
besonders 24
besprechen 138
besser 76
Beste, das 51
Besteck, das, -e 112
bestellen 85
besuchen 51
Beteiligte, der/die, -n 133
betreten 118
Betreuer, der, - 112
Betreuung, die 112
beurteilen 7
bewegen 122
Bewegung, die, -en 34
bilden 148
Bildschirm, der, -e 79
billig 62
bisher 56
bisschen 94
blättern 94
Blick, der, -e 112
Blitz, der, -e 18
Blödsinn, der 129
blond 22
Blumengeschäft, das, -e 111
Blumentopf, der, ¨-e 67
Bluse, die, -n 88
Blut, das 80
Boden, der 122
Boot, das, -e 15
Boss, der, -e 48
Botanischer Garten, der ¨ 146
boxen 24
Brasilianer, der, - 133
braten 132
brav 58
brechen 25
breit 22
Briefpapier, das 144
Brille, die, -n 104
Brocken, der 12
Brücke, die, -n 40
Brust, die 22
Buchstabe, der, -n 132
Bucht, die, -en 112
Buddhist, der, -en 95
Bühne, die, -n 32
Bühneneingang, der, ¨-e 36
Bühnenrand, der, ¨-er 36
Busfahrt, die, -en 112
Bushaltestelle, die, -n 106

C

Camp, das, -s 112
Camping, das 128
Campingplatz, der, ¨-e 113
Campingurlaub, der 116
Chance, die, -n 105
charmant 107
Charts, die 33
Chefarzt, der, ¨-e 80
Chinese, der, -n 131
Chinesin, die, -nen 131
Chips, die 19
Chorleiter, der, - 103
Classic-Cartoon 80
Clique, die, -n 151
Cola, die, -s 122
contra 14

D

dableiben 121
dagegen 105
Dalli-Dalli 83
Dame, die, -n 120
damit 51
daran 95

darstellen 79
darüber 28
darum 28
darunter 93
dass 114
dasselbe 115
Dativ-Objekt, das, -e 71
davon 79
davor 28
DDR (Deutsche Demokratische Republik) 148
Delfin, der, -e 28
Deutscher, der/die, Deutschen 12
Deutsch-Inderin, die, -nen 33
Deutschlandtournee, die 33
Dialekt, der, -e 32
dick 22
dieselbe 39
diesmal 36
Digeridoo, das, -s 51
Disco-Haarschnitt, der 58
Diskothek, die, -en 122
Diskus, der 12
Diskussion, die, -en 63
Disney-Reportage, die 80
Doping, das 27
Dose, die, -n 63
Dosenöffner, der, - 116
Drachenfliegen, das 9
Drachenkopf, der, ¨e 133
dran kommen 63
drinnen 144
Drogerie, die, -n 144
Druckfehler, der, - 105
Duell, das 80
dunkel 22
dunkelblau 102
dünn 22
durch 28
Durchsage, die, -n 117
duschen 76

E

ebenso 40
EC (Eurocity), der 117
echt 91
Ecke, die, -n 146
edel 89
Ehrengast, der, ¨e 38
ehrlich 62
Eierteig, der 132
eigen 28
Einblick, der, -e 133
Eindruck, der, ¨e 131
Einkaufsstraße, die, -n 140
Einkaufszentrum, das, Einkaufszentren 151
einmalig 141
einpacken 89
einsam 112
Einschätzung, die, -en 79
einschlafen 36
einsteigen 120
Eiscafé, das, -s 63
Eishockey, das 9
Eishockeyspiel, das, -e 13
Eislaufen, das 9
Elefant, der, -en 36
elegant 98
Elternzeitschrift, die, -en 73
eng 15
Engländer, der, - 117
Engländerin, die, -nen 131
Englischunterricht, der 117
entdecken 113
Entdeckung, die, -en 80
Entertainer, der, - 80
entfallen 71
entfernt 112
entlang 112
entscheiden 121
entschuldigen 35
entsetzlich 16
entstehen 39
entzünden 28
entzündet 28
Erde, die 133
Erdgeschoss, das, -e 70
erfahren 28
Erfindung, die, -en 128
Erfolg, der, -e 33
erfragen 7
ergeben 73
Ergebnis, das, -se 76
erinnern 83
erkennen 101
Erklärung, die, -en 148
erlauben 28
Erlaubnis, die 7
Erlebnis, das, -se 128
erreichen 33
ersetzen 105
Eskimo, der, -s 73
Essen, das, - 60
Essgeschirr, das, -e 113
Essplatz, der, ¨e 112
Essteller, der, - 112
Etage, die, -n 151
etwa 90
Europapokal, der, -e 13
eventuell 39
ewig 28
Experiment, das, -e 80
experimentieren 28
extra 15

F

fähig 22
Fähre, die, -n 112
Fahrkarte, die, -n 117
Fahrkartenschalter, der, - 111
Fahrplan, der, ¨e 121
Fahrtroute, die, -n 112
Fall, der, ¨e 18
fallen 18
Familienfest, das, -e 71
Familienserie, die, -n 75
Fan, der, -s 85
fantastisch 41
färben 58
Fechten, das 9
fehlen 28
feiern 36
Felsen, der, - 112
Felswand, die, ¨e 15
Fenster, das, - 66
Ferienerfahrung, die, -en 131
Ferienflirt, der, -s 122
Fernbedienung, die, -en 81
Fernsehansage, die, -n 80
Fernsehauftritt, der, -e 39
Fernsehfamilie, die, -n 82
Fernsehfan, der, -s 77
Fernsehgegner-Lied, das 84
Fernsehkomödie, die, -n 80
Fernsehkonsum, der 79
Fernsehmacher, der, - 77
Fernsehsalat, der 81
Fernsehspiel, das, -e 17
Fernseh-Studio, das, -s 84
Fernsehtyp, der, -en 76
festmachen 94
Feuer, das 81
Feuerwerk, das 80
Feuerzeug, das, -e 130
Fieber, das 21
Filmparade, die, -n 80
Filmtitel, der, - 99
Finger, der, - 22
Fingernagel, der, ¨ 76
Fischsuppe, die, -n 132
Flasche, die, -n 76
Flaschenöffner, der, - 130
flirten 107
Flöte, die, -n 51
Flug, der, ¨e 113
Flügel, der, - 47
Flugplatz, der, ¨e 121
Flur, der, -e 70
Fluss, der, ¨e 15
Folge, die, -n 79
Fotografie, die, -n 39
Foto-Quiz, das 92
Fragekarte, die, -n 69
Franzose, der, -n 131
Französin, die, -nen 131
Frauchen, das, - 106
frech 33
Free-Climber, der, - 15
Free-Climbing, das 15
Freitagabend, der, -e 24
Freizeitangebot, das, -e 112
Freizeitbeschäftigung, die, -en 39
Freizeitinteresse, das, -n 39
Freude, die, -n 54
freuen 82
Friede, der 80
Friseur, der, -e 58
Frisur, die, -en 58
früher 32
Frühlingslied, das, -er 80
füllen 132
funktionieren 107
furchtbar 56
Fuß, der, ¨e 15
Fußballfan, der, -s 78
Fußballstadion, das, Fußballstadien 106

G

Galapagos 80
Gang, der, ¨e 131
Garage, die, -n 130
Gästehaus, das, ¨er 147
gastfreundlich 128
Gastspiel, das, -e 141
Gebäude, das, - 110
Gebirge, das, - 112
Gebirgsfluss, der, ¨e 15
geboren 33
gebraten 132
gebrauchen 56
gebrochen 25
Geburtstagsgruß, der, ¨e 46
Gefahr, die, -en 28
gefallen 28
gehören 32
gelb-schwarz 102
Gelegenheit, die, -en 107
gelegentlich 84
gemein 16
gemeinsam 94
gemustert 89
Genitiv, der 124
Gepäck, das 115
Gepäckablage, die, -n 120
Gepäckraum, der, ¨e 118

Gepard, der, -en 12
gepflegt 60
gepierct 28
gepunktet 89
geradeaus 145
Geranie, die, -n 81
Gerät, das, -e 28
Gesang, der, ¨-e 48
Geschäft, das, -e 63
Geschenk, das, -e 36
Geschichtsunterricht, der 36
geschickt 58
Geschirr, das 59
Geschirrtuch, das, ¨-er 112
Geschmacksache, die 60
geschockt 58
Gesicht, das, -er 22
Gespräch, das, -e 38
gestern 31
gestreift 89
gesund 22
Gesundheit, die 28
gesundheitlich 28
Gesundheitsamt, das, ¨-er 28
Getränk, das, -e 99
gewinnen 12
Gewinnspiel, das, -e 80
gewöhnen 95
Girlie-Group, die, -s 33
Glas, das, ¨-er 19
Glastür, die, -en 101
glatt 63
gleichzeitig 92
Gleis, das, -e 117
Gleitschirm, der, -e 15
Gleitschirmflieger, der, - 15
Glücksrad, das, ¨-er 80
golden 80
Golf 12
grau 93
Grenze, die, -n 149
Grieche, der, -n 131
Griechin, die, -nen 131
Grund, der, ¨-e 7
grün-weiß 102
Gruppenarbeit, die, -en 113
gucken 122
Gummibaum, der, ¨-e 67
Gürtel, der, - 88

H

Haarfarbe, die, -n 63
Haarlack, der 63
Haftpflichtversicherung, die 112
Halle, die, -n 26
Hallensport, der 26
Hals, der, ¨-e 22
Halsweh, das 21
halten 28
Haltestelle, die, -n 146
Handball, der 9
Handschuh, der, -e 71
Handtasche, die, -n 118
Handzeichen, das, - 85
Hängematte, die, -n 67
Hardrock, der 32
hart 22
Hauptrolle, die, -n 63
Hauptsache, die, -n 121
Hausarrest, der 45
Heim, das, -e 73
hell 22
Hemd, das, -en 27
Henna 28
Henna-Tattoo, das, -s 28
herausschauen 93
Herrchen, das, - 106
herrlich 99
herstellen 94
herum 93
Herzinfarkt, der, -e 63
herzlich 38
herzlich willkommen 38
Heulen, das 106
hin 117
hinaus 32
hinaustragen 120
Hindernis, das, -se 122
hineingehen 36
hineinreichen 94
hineinzeichnen 94
hinten 94
hinunter 15
Hip-Hop 33
Hit, der, -s 33
Hitparade, die, -n 50
Höhle, die, -n 73
holen 19
Holland 131
Hölle, die 80
Hörer, der, - 38
Hörerin, die, -nen 38
Hose, die, -n 27
Hotel, das, -s 122
Hundefutter, das 116
Hustensaft, der, ¨-e 144
Hut, der, ¨-e 88

I

IC(Intercity), der 117
identifizieren 92
Iglu, das, -s 73
Iglu-Baumeister, der, - 73
Iglu-Dorf, das, ¨-er 73
im 67
Image, das, -es 58
Indefinitpronomen, das, - 52
indirekt 152
Indonesien 95
Inka-Spur, die, -en 80
Inline-Skates, die 36
Inline-Skating, das 95
Instrument, das, -e 47
integrieren 39
intelligent 104
Interailer, der, - 128
Interesse, das, -n 27
interessieren 106
Interview, das, -s 38
Invasion, die, -en 80
inzwischen 39
irgendwann 39
irgendwelche 50
irgendwie 61
Irrfahrt, die, -en 80
Iso-Matte,die, -n 73
Italiener, der, - 131
Italienerin, die, -nen 131
Italienischunterricht, der 114

J

Jacke, die, -en 88
jagen 99
jährlich 133
Jahrtausend, das, -e 95
Jazz, der 37
Jeans, die 88
jedenfalls 114
jedesmal 18
jeweils 141
joggen 57
Jogging, das 34
Jugendclub, der, -s 151
Jugendfreizeit, die 112
Jugendgästehaus, das, ¨-er 144
Jugendherberge, die, -n 113
Jugendherbergswerk, das 128
Jugendliche, der/die, -n 28
Jugendsendung, die, -en 17
Jugendzimmer, das, - 66
Jury, die, -s 103

K

Käfer, der, - 128
Kaiserzeit, die 141
Kalender, der, - 118
Kammermusik, die 37
Kampf, der, ¨-e 80
kämpfen 81
Kanada 13
kanarisch 80
Kaninchen, das, - 92
Käppchen, das, - 58
kaputt 77
kariert 89
Karneval, der 133
Karriere, die 39
Kartoffelchips, die 76
Karton, der, -s 94
kauen 76
Kaufhaus, das, ¨-er 144
Kaugummi, der, -s 45
kaum 80
Kenianer, der, - 133
Keramik, die, -en 39
Kerze, die, -n 105
Kette, die, -n 88
Keyboard, das, -s 46
Kilo, das, -s 116
Kindersendung, die, -en 16
Kinderstar, der, -s 38
Kinderzimmer, das, - 70
Kiosk, der, -e 144
Klammer, die, -n 72
Klamotten, die 56
Klassenfahrt, die, -en 136
Klassenlehrer, der, - 48
Klassensprecherin, die, -nen 48
klassisch 62
Kleid, das, -er 88
Kleiderbügel, der, - 103
Kleidung, die 88
Kleidungsstück, das, -e 89
Kleinbus, der, -se 112
klettern 9
klingen 49
Kneipe, die, -n 136
Knie, das, - 22
Koch, der, ¨-e 112
Koffer, der, - 47
Kofferpacken, das 130
Kölner, der, - 32
kombinieren 93
kommentieren 99
Komödie, die, -n 17
komplett 93
Kompliment, das, -e 95
komponieren 38
Komponist, der, -en 40
Kongresshalle, die, -n 141
Königin, die, -nen 80
Konkurrenz, die 14
Kontakt, der, -e 128
kontrollieren 73
konzentriert 15

Konzertkarte, die, -n 62
Kopf, der, ¨-e 22
Körper, der, - 26
Körperteil, der, -e 7
kosten 15
Kosten, die 112
kostenlos 85
Kraft, die, ¨-e 15
krank 25
Krankenhaus, das, ¨-er 28
Krawatte, die, -n 88
Kreis, der, -e 40
Kreuzung, die, -en 145
Kreuzworträtselheft, das, -e 71
Krimi, der, -s 17
Krimiserie, die, -n 80
kritisch 79
Krümelmonster, das 19
Küche, die, -n 70
Küchenzelt, das, -e 112
kulturell 133
Kulturmagazin, das, -e 76
Kunstausstellung, die, -en 138
Kunstunterricht, der 36
Kunstwerk, das, -e 140
kunterbunt 87
Kurs, der, -e 15
Kurve, die, -n 15
kurz 22
Kürze, die 120
Kurzmitteilung, die, -en 137

L

lächeln 41
Lage, die 128
Lampe, die, -n 66
Landesinnere, das 112
lässig 89
Lauf, der 9
lausen 102
Lautsprecher, der, - 120
Lederjacke, die, -n 62
Leichtathletik, die 9
Leistung, die, -en 112
Leistungsschwimmer, der, - 28
Leistungssportler, der, - 14
Leiter, der, - 38
Leserstimme, die, -n 58
Leuchtturm, der, ¨-e 73
Lexikon, das, Lexika 116
Licht, das, -er 81
Liebe, die 50
lieben 28
Liebesgeschichte, die, -n 41
Lieblingskleidung, die 89
Lied, das, -er 18
liegen 26
Lindenstraße, die 80
Linie, die, -n 94
Lippenpiercing, das 28
live 36
Live-Musik, die 46
Loch, das, ¨-er 51
los sein 90
Lösungssatz, der, ¨-e 62
Lösungswort, das 25
LP, die, -s 39
Luft, die 15
Luftmatratze, die, -n 112

M

Machismo, der 80
Mahlzeit, die, -en 131
Mail-Partner, der, - 62
mal sehen 26
manche 27
Mannschaft, die, -en 14
Mantel, der, ¨- 88
Märchenstück, das, -e 63
Marotte, die, -n 97
Mars, der 80
Massensport, der 15
Mathenote, die, -n 82
Matratze, die, -n 67
Mauer, die, -n 149
Medaille, die, -n 27
mehrere 15
mehrfach 28
meinen 92
Meinung, die, -en 61
Melodie, die, -n 133
Milchkaffee, der 131
Millionen-Quiz, das 83
mindestens 73
Mindestteilnehmerzahl, die, -en 113
Mini, der, -s 56
missglücken 28
Mist 44
Mitarbeiter, der, - 113
Mitbewohner, der, - 133
mitessen 132
Mitglied, das, -er 39
mittanzen 26
Mitte, die 31
Mitteilung, die, -en 137
Mittwochabend, der 138
Mix-Max 94
Möbel, die 67
Mode, die, -n 28
Modehaus, das, ¨-er 93
Moderation, die, -en 80
Moderator, der, -en 84
Modewettbewerb, der, -e 103
modisch 50
möglich 28
möglichst 81
Monatsheft, das, -e 137
Mond, der 116
Monster, das, - 63
Morgengrauen, das 80
Motorrad, das, ¨-er 32
Motto, das 58
Mund, der, ¨-er 22
Museum, das, Museen 121
Museumsinsel, die 138
Musikant, der, -en 133
Musiker, der, - 38
Musikfan, der, -s 133
Musikinstrument, das, -e 7
Musiksaal, der, -säle 96
Musiksendung, die, -en 17
Musikstar, der, -s 88
Musikstil, der, -e 41
Musikstück, das, -e 99
Musikunterricht, der 48
muskulös 22
Mut, der 63
mutig 107
Mütze, die, -n 88

N

Nachbar, der, -n 115
Nachrichten, die 17
Nachrichten-Magazin, das 80
nah 36
Nähe, die 36
Nahverkehrsnetz, das 143
Narbengesicht, das 80
Nase, die, -n 14
Nasenring, der, -e 28
nass 15
Nebelhorn, das 12
Nebentisch, der, -e 106
negativ 17
Nervensäge, die, -n 59
neugierig 121
nicht mehr 56
niemals 18
Nordsee, die 12
Notenheft, das, -e 45
notwendig 116

O

Obdachlosenunterkunft, die, ¨-e 73
Oberarm, der, -e 28
obere 94
Oberkörper, der, - 94
ohne 94
Ohr, das, -en 22
Ohrring, der, -e 28
Olympiade, die 16
Olympiastadion, das, Olympiastadien 141
olympisch 12
Oper, die, -n 37
Orchestermusik, die 37
Ordnung, die 48
organisieren 110
orientieren 110
originell 48
Ostdeutsche, der/die, -n 149
Österreicher, der, - 131
Österreicherin, die, -nen 131
österreichisch 40

P

Packung, die, -en 116
Papiergeld, das 80
Paraglider, der, - 15
Partizip Perfekt, das 34
Partnerklasse, die, -n 48
Party, die, -s 63
Passant, der, -en 146
Perfekt, das 34
Personenraten, das 92
pfeifen 102
Pferd, das, -e 102
Pfiff, der, -e 80
Phantasie, die 77
phantastisch 99
Pianistin, die, -nen 88
piercen 28
Piercer, der, - 28
Piercing, das 28
Pinocchio 19
Piste, die, -n 122
planen 110
Planet, der, -en 99
Platte, die, -n 39
Platz, der, ¨-e 15
pleite 71
Polen 13
politisch 76
Polizist, der, -en 36
Popcorn, das 76
Popmusik, die 32
positiv 17
Possessivpronomen, das, - 52
Poster, das, - 36
Postkarte, die, -n 146
praktisch 95
Präpositionalobjekt, das, -e 86
Präsens, das 35

Preis, der, -e 7
prima 16
pro 14
Probe, die, -n 49
produzieren 33
Programm, das, -e 16
Programmkosten, die 112
Programmübersicht, die, -en 80
Projekt, das, -e 38
Prominenten-Jury, die 80
Prozent, das, -e 79
Prüfung, die, -en 15
Psychotest, der, -s 121
Publikum, das 85
Pulli, der, -s 56
Pullover, der, - 88
Punkt, der, -e 76

Q

Quiz-Kandidat, der, -en 76
Quizsendung, die, -en 17

R

Rad, das, ¨er 113
Radfahrer, der, - 128
Radioauftritt, der, -e 39
Radtransfer, der 113
Rafting, das 15
Raftingtour, die, -en 15
Rapperin ,die, -nen 33
Rap-Queen, die 33
Rap-Rock-Stil, der 33
Rap-Song, der, -s 33
Rasenmäher, der, - 116
Raum, der, ¨e 144
Raumschiff, das, -e 99
raus 115
rausbringen 39
rechts 118
Redaktionssitzung, die, -en 148
Redewendung, die, -en 129
Referat, das, -e 59
reflexiv 86
Refrain, der, -s 18
Regal, das, -e 66
Regie, die 80
Regierung, die, -en 149
Reich, das, -e 80
reichen 39
Reihe, die, -n 36
Reihenfolge, die, -en 78
Reim, der, -e 50
Reisefreak, der, -s 121
Reiseführer, der, - 118
Reiseprospekt, der, -e 110
Reisequiz, das 80
Reisevorbereitung, die, -en 112
Reisgericht, das, -e 132
Reißverschluss, der, ¨e 116
Reklame, die 27
Remake, das, -s 41
reparieren 77
Rettung, die 147
Rhythmus, der, Rhythmen 133
Rhythmusgruppe, die, -n 50
Richtung, die, -en 117
riechen 132
Ring, der, -e 28
riskieren 102
Rock, der, ¨e 88
Rock'n'Roll-Meisterschaft, die, -en 25
Rock'n'Roll-Star, der, -s 32
Rockgruppe, die, -en 11
Rockkonzert, das, -e 77
Rockmusik, die 32
Rockpalast, der 44
Rockstar, der, -s 39
Roller, der, - 92
Rollo, das, -s 67
Rollschuh, der, -e 115
Rolltreppe, die, -n 118
Romantik, die 105
Rotkäppchen, das 56
RTL 80
Rücken, der, - 22
Rückfahrt, die, -en 138
Rucksack, der, ¨e 130
rudern 15
Rudern, das 9
Ruderverein, der, -e 19
ruhig 33
Ruhrgebiet, das 33
Runde, die, -n 40
runterfahren 122
Russe, der, -n 131
Russin, die, -nen 131
russisch 131

S

Salbe, die, -n 25
Salontiroler, der, - 80
Samba-Spieler, der, - 133
Samba-Trommel, die, -n 133
Sandmännchen, das, - 19
Sandstrand, der, ¨e 112
sauer 48
Säule, die, -n 67
Saxophon, das, -e 47
S-Bahn, die, -en 139
Schach 57
Schachturnier, das, -e 57
schädlich 79
schaffen 15
Schal, der, -s 88
schalten 19
Schatz, der, ¨e 82
Schaukelpferd, das, -e 92
Schwein, das, -e 102
Schema, das, Schemata 10
Schianzug, der, ¨e 88
Schifahren, das 9
Schikurs, der, -e 122
Schild, das, -er 118
Schirennen, das, - 83
Schischule, die, -n 122
Schiwoche, die, -n 89
Schlafsack, der, ¨e 112
Schlafzelt, das, -e 112
Schlafzimmer, das, - 70
schlagen 133
Schlager, der, - 32
Schlagersänger, der, - 50
Schlagzeug, das, -e 47
Schlauchboot, das, -e 115
schlimm 104
Schlittenfahren, das 18
Schloss, das, ¨er 138
schmal 22
Schmerz, der, -en 24
schneiden 94
Schnellbahnnetz, das 143
Schöpfung, die 141
Schottland 95
Schrank, der, ¨e 66
Schreibtisch, der, -e 66
Schreibwarengeschäft, das, -e 144
schreien 122
Schritt, der, -e 105
Schublade, die, -n 67
schüchtern 105
Schuh, der, -e 62
Schulausflug, der, ¨e 89
Schulchor, der, ¨e 103
Schülerin, die, -nen 62
Schülerorchester, das, - 49
Schülerrockgruppe, die, -n 39
Schulhaus, das, ¨er 48
Schulleiterin, die, -nen 92
Schulter, die, -n 22
Schultüte, die, -n 92
schwarz-blau 102
schweben 15
Schweden 13
Schweizer, der, - 131
Schweizerin, die, -nen 131
schweizerisch 131
Schwert, das, -er 81
Sciencefiction-Serie, die, -n 83
Sciencefiktionfilm, der, -e 17
segeln 9
Sehenswürdigkeit, die, -en 137
sein lassen 106
seit 136
seitdem 39
Selbstbeteiligung, die 112
selten 51
seltsam 81
Sendereihe, die, -n 80
Sendung, die, -en 75
senkrecht 15
Serie, die, -n 76
Sesamstraße, die 19
Shorts, die 88
Show, die, -s 76
Showmaster, der, - 80
Sicht, die 79
Sieg, der, -e 81
Sieger, der, - 58
Siegessäule, die 146
Silbe, die, -n 50
Single, die, -s 33
Singspiel, das, -e 38
sinken 73
Sinn, der 41
Situation, die, -en 95
Skate-Board, das, -s 95
Socke, die, -n 88
Sofa, das, -s 67
solch 105
Sommerfarbe, die, -n 93
Sommerferien, die 89
Sommermode, die 93
Sommerprogramm, das, -e 112
Sommersport, der 26
Sommersprosse, die, -n 14
Sonate, die, -n 38
sondern 33
Song, der, -s 33
Sonne, die 28
sonst 44
Sowjetunion, die 148
sparen 56
Speisewagen, der, - 121
Spezialist, der, -en 58
Spezialität, die, -en 140
Spiegel TV 80
Spiegel, der, - 58
Spieler, der, - 73
Spielfilm der, -e 76

Spielgruppe, die, -n 40
Spielleiter, der, - 83
Spielshow, die, -s 84
Spielstein, der, -e 40
Spitzenzeit, die, -en 18
Spitzname, der, -n 56
spontan 28
Sportart, die, -en 7
Sportler, der, - 27
Sportreportage, die, -n 17
Sportschau, die 75
Sportschau-Telegramm, das 80
Sportsendung, die, -en 76
Sport-Supermann, der, ¨er 18
Sportunterricht, der 101
Sprache, die, -n 33
Sprachkurs, der, -e 117
springen 19
spülen 59
Staat, der, -en 149
Stadtbummel, der, - 138
Stadtführer, der, - 145
Stadtmarathon, der 57
Stadtrundfahrt, die, -en 138
Stadtteil, der, -e 133
Stapel, der, - 103
Star, der, -s 84
Startfeld, das, -er 40
Startschuss, der, ¨e 81
Station, die, -en 120
stechen 28
Stecker, der, - 28
stehen bleiben 40
Steigerung, die 20
Stein, der, -e 15
Stelle, die, -n 151
Stiefel, der, - 88
still 19
Stimmung, die, -en 84
Stirnband, das, ¨er 88
Stock, der 70
stolpern 106
Stopp! 132
stören 41
Strähne, die, -n 58
Streichholz, das, ¨er 130
Strickzeug, das 115
Strohhut, der, ¨e 93
Strumpf, der, ¨e 27
Strumpfhose, die, -n 88
Stuhl, der, ¨e 48
Sucht, die 76
Südamerikaner, der, - 133
Superforce, die 80
Superfrau, die, -en 18
Supermarkt, der, ¨e 144
Supersportler, der, - 27
Superstar, der, -s 80
Supertänzer, der, - 122
Surfbrett, das, -er 112
surfen 114
Süßigkeit, die, -en 151
Süßspeise, die, -n 132
Sweatshirt, das, -s 88
Sympathie, die 119
Symphonie, die, -n 38

T

Tabelle, die, -n 131
Tablette, die, -n 26
Tagebuch, das, ¨er 36
Tagesablauf, der 69
Tagesschau, die 44
Tanz, der, ¨e 133
Taschenbuch, das, ¨er 71
Taschengeld, das 45
Tasse, die, -n 112
Taste, die, -n 51
Tatort, der 80
tätowieren 28
Tätowierer, der, - 28
Tätowierung, die, -en 28
tatsächlich 131
Tattoo, das, -s 28
taub 147
tauschen 127
Team, das, -s 15
Techno 48
Teddy, der 115
Teddybär, der, -en 104
teilnehmen 58
Teilnehmer, der, - 112
teilweise 81
Telefonnummer, die, -n 62
Telefonzelle, die, -n 145
Tele-Fußball 80
Tele-Wette, die 80
Teller, der, - 116
Temperatur, die, -en 73
Tennisschläger, der, - 46
Teppich, der, -e 66
Termin, der, -e 112
Terrasse, die, -n 70
Tesafilm, der 116
Test, der, -s 76
texten 39
Theatertreffen, das, - 141
Themenkarte, die, -n 69
Thermometer, das ,- 21
Tierfilm, der, -e 17
Tiger, der, - 36
Tischtennis 9
Tischtennisplatte, die, -n 112
Tod, der 81
tödlich 33
Toilette, die, -n 70
Toilettenpapier, das 116
Topmagazin, das 105
Topsendung, die, -en 85
Tor, das, -e 76
Torte, die, -n 36
Torwart, der, -e 76
total 36
tragen 15
trainieren 24
Trainingsanzug, der, ¨e 61
Transfer, der 113
träumen 36
Traumhaus, das, ¨er 65
Traurigkeit, die 50
treiben 22
treten 102
Trick, der, -s 80
T-Shirt, das, -s 88
Türke, der, -n 131
Türkin, die, -nen 131
türkisch 131
Tüte, die, -n 19
Typ, der, -en 61
typisch 43

U

U-Bahn, die, -en 139
Überblick, der 151
Überfahrt, die, -en 112
überfüllt 122
übernachten 113
Übernachtung, die, -en 128
überqueren 118
überraschen 94
überregional 39
Umfrage, die, -n 73
umschalten 16
Umschlag, der, ¨e 36
U-Musik, die 37
umziehen 77
Umzug, der, ¨e 133
unbedingt 99
Unbefugte, der/die, -n 118
Unfallversicherung, die 112
ungefähr 38
ungemütlich 151
ungepflegt 60
Unicef 73
uninteressant 13
unmöglich 16
Unordnung, die 130
unregelmäßig 42
unsauber 28
unter 15
unterhalten 122
Unterhaltung, die, -en 77
Unterhaltungsmusik, die 37
Unterhemd, das, -en 88
Unterhose, die, -n 88
Unterkunft, die, ¨e 112
unternehmen 112
unterwegs 118
unwichtig 93
Urlaub, der 126
Urlaubsplan, der, ¨e 114

V

verabreden 35
Verabredung, die, -en 78
verändern 58
Veranstaltungsprogramm, das, -e 137
verblüfft 120
verboten 118
verbringen 131
Verbzusatz, der 74
Verein, der, -e 128
verfolgen 145
Vergangene, das 7
Vergangenheit, die 80
vergleichen 7
Vergnügen, das, - 76
Verkleidung, die, -en 133
verlaufen 146
verleihen 103
verrückt 32
verschieden 73
verschreiben 25
verschwinden 28
versetzen 95
Version, die, -en 41
verstauchen 25
verunglücken 33
Verwandte, der/die, -n 73
Video-Spiel, das, -e 33
vielleicht 26
Vietnamese, der, -n 133
Violinkonzert, das, -e 141
Vitamingetränk, das, ¨e 76
Vogel, der, ¨ 15
Vokalwechsel, der 35
Volksmusik, die 37
Volleyballmannschaft, die, -en 103
Volleyballplatz, der, ¨e 112
Volleyballspiel, das, -e 13
Vollpension, die 113
Vollprofi, der, -s 14
Vollverpflegung, die 112
vorbei 28
vorbereiten 15
Vorführung, die, -en 133
vorgehen 129
vorhaben 147
Vorhaben, das, - 54
Vorhang, der, ¨e 66
vorher 85

vorlesen 73
Vorschlag, der, ¨-e 94
Vorsicht! 122
Vorsilbe, die, -n 35
Vorstoß, der, ¨-e 80
vorzeichnen 28

W

wackeln 105
wahnsinnig 56
während 85
wahrscheinlich 105
Wand, die, ¨-e 66
warnen 28
Waschpulver, das 116
Wasserball 9
Wasserfall, der, ¨-e 15
Wechselpräposition, die, -en 134
Weg, der, -e 110
wegbleiben 56
weggehen 44
weh tun 41
weich 22
Weihnachtsbaum, der, ¨-e 116
weil 49
Weil-Satz, der, ¨-e 52
weinen 36
Weise, der 141
Weiterfahrt, die 112
weitergeben 94
weiterschreiben 132
Weltkrieg, der, -e 148
Weltmeisterschaft, die, -en 13
Weltrekord, der, -e 18
Weltspiegel, der 80
wenigstens 28
Werbefernsehen, das 75
Werbesendung, die, -en 80
Werbetext, der, -e 113
wert 135
Wesen, das, - 81
Westdeutsche, der/die, -n 149
Western, der, - 17
westindisch 33
Westküste, die 112
Wette, die, -n 12
wetten 84
Wetternews, die 80
Wettschießen, das 76
Widerrede, die, -n 82
wiederholen 59
Wikinger, der, - 80
wild 15
Wintergarderobe, die 93
Wintersport, der 26
Winterurlaub, der 131
Wissenschaftler, der, - 51
Witz, der, -e 63
wohlfühlen 90
Wohnzimmer, das, - 70
Wunder, das, - 18
wunderbar 34
Wunderkind, das, -er 38
wunderschön 133
Würfelpunkt, der, -e 135
wütend 120

Z

Zahn, der, ¨-e 22
Zahnbürste, die, -n 144
Zahnstocher, der, - 51
Zauberflöte, die 141
Zeichentrickfilm, der, -e 17
Zeichner, der, - 79
Zeitschrift, die, -en 62
Zeitungskiosk, der, -e 111
Zelt, das, -e 73
zelten 114
Zeltlager, das, - 112
Zeltplatz, der, ¨-e 112
Zeug, das 130
Zimmer, das, - 26
Zimmermann, der 51
Zone, die, -n 148
Zoologischer Garten, der 146
zudecken 118
zufällig 114
Zug, der, ¨-e 117
Zugabteil, das, -e 118
Zugkarte, die, -n 136
Zugspitze, die 12
Zuhause, das 73
Zukunft, die 38
zulächeln 61
zum ersten Mal 36
Zunge, die, -n 28
Zungenpiercing, das 28
zurückbekommen 71
zurückgehen 129
zurückkommen 32
zurückstellen 129
zusammen gehören 45
zusammenbleiben 39
zusammenkommen 39
zusammenzählen 76
zuschauen 133
Zuschauer, der, - 79
Zuschlag, der, ¨-e 117
Zweimannzelt, das, -e 113
zwischen 32

Quellenverzeichnis

Seite 9: TSW Bildagentur, München (Klettern: O. Tennet, Tennis: L.A. Peek, Schifahren: M. Junak); Bavaria Bildagentur, Gauting (Fußball, Leichtathletik, Windsufen, Reiten: TCL; Eishockey: Mühlberger); Florian Hagena, München (Snowboarden); B&G Bildagentur, Karlsruhe (Drachenfliegen: U. Benitz); The Image Bank, München (Schwimmen: Co Routmeester)
Seite 10: Alle Fotos oben und Schwimmerin: MHV-Archiv (F. Specht); Reiterin: Annette Heidhues, Berlin; Schifahren, Tanzen: Claudia Hofmüller, Ismaning
Seite 15: oben: FB-Freizeitservice – Felicitas Beck, Neufahrn; Mitte: Firma Airea, Bad Tölz; unten: Karl Schrag, Holzkirchen
Seite 28: Dieter Klein, Köln
Seite 31: DIZ Süddeutscher Verlag, Bilderdienst München: Bach, Wagner, Beethoven, Musik+-Show, C. Lange, Hamburg: U. Lindenberg (N. Botsch), S. Setlur (S. Remmer), P. Kraus (B. Müller)
Seite 32: Musik+Show, C. Lange Hamburg: A (A. Keuchel), B (B. Müller), C (N. Botsch), D: Interfoto München
Seite 33: DIZ Süddeutscher Verlag, Bilderdienst, München: E; Musik+Show, C. Lange, Hamburg: F, H, G (C. Lange), I (N. Botsch)
Seite 38: Kalle Waldinger, Wuppertal (Ronsdorfer Rockprojekt: Pünktchen Pünktchen)
Seite 43: Gert Mothes, Leipzig (5); Herlinde Koelbl, München (2)
Seite 60: MHV-Archiv (1, 5, 6); DIZ Süddeutscher Verlag, Bilderdienst, München (2); dpa (3); AKG, Berlin (4)
Seite 65: Alastair Penny, Berlin (1,2,3,4,5,9)
Seite 84: ZDF, Mainz (Wetten, dass...)
Seite 88: Historisches Farbarchiv Ch. Elsler, Norderney (1); AKG, Berlin (2)
Seite 91: AKG, Berlin (1,2,3,4), DIZ Süddeutscher Verlag, Bilderdienst, München (5)
Seite 92: oben: MHV-Archiv (Foto Sexauer, Ismaning); unten: MHV-Archiv (G. Kopp)
Seite 93: MHV-Archiv (Ch. Regenfus)
Seite 97: Dieter Klein, Köln (3,5); Michael Kämpf, Berlin (4)
Seite 100: Werner Bönzli, Reichertshausen
Seite 105: MVH-Archiv
Seite 112: Bavaria Bildagentur, Gauting (Füllenbach)
Seite 113: oben: MHV-Archiv (Ch. Regenfus); unten: Interfoto, München
Seite 125: DASA (1); Deutsche Bahn AG, Berlin/DBAG/Bedeschin. (2); Ernst Luthmann, Ismaning (3, 5, 7);
Seite 128: Deutsches Jugendherbergswerk
Seite 136: MHV-Archiv (F. Specht)
Seite 137/139: Berliner Verkehrsbetriebe (BVG)
Seite 140: HB-Verlag, Hamburg (A, C, E); Bildarchiv Preussischer Kulturbesitz, Berlin (B, D); Jürgens Ost und Europa-Photo, Berlin (F, G)
Seite 142: Werner Bönzli, Reichertshausen (A); Deutsche Luftbild, Hamburg (C); HB-Verlag, Hamburg (B, D, E, F)
Seite 143: Aus: GEO SPECIAL Berlin Nr. 1/06.02.91, S. 66 © Rainer Droste
Seite 149: DIZ Süddeutscher Verlag, Bilderdienst, München (g); dpa (i, j)

Siegfried Büttner, Goch: Seite 4, 53, 65 (6,7,8), 95
Michael Kämpf, Berlin: Seite 3, 5, 6, 133 (2x), 109
Gerd Pfeiffer, München: Seite 9 (Eislaufen), 21, 43 (1, 3, 4,), 97 (1,2), 125 (4, 6)

Überarbeitete Lesetexte
Seite 18/19/122: Mit freundlicher Genehmigung von Frau Charlotte Richter-Peill
Seite 28: Aus: JUMA 120/www.juma.de
Seite 39: Aus: Praktisk Sprog 8, 08.12.89, Vrinners Hoved, DK-8420 Knebel
Seite 51: A + B aus: TREFF 4/2000; C aus: TREFF 2/2000
Seite 63: Aus: JUMA 299/www.juma.de
Seite 73: A aus: TREFF 3/1999; B aus: TREFF 1/1999
Seite 79: Aus: Schule aktuell 2/91
Seite 84/85: Aus: SCHUSS 4/2000
Seite 95: Aus: TREFF 1/2000
Seite 133: Aus: JUMA 1/1999
Seite 151: Aus: JUMA 220/www.juma.de

Wir haben uns bemüht, alle Inhaber von Bild- und Textrechten ausfindig zu machen. Sollten Rechteinhaber hier nicht aufgeführt sein, so wäre der Verlag für entsprechende Hinweise dankbar.